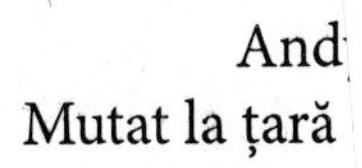

And

Mutat la țară

Andy Hertz

Mutat la țară
Viața fără ceas

Din Londra în Apuseni

2018

Copertă: Etienne Ionulescu

www.mutatlatara.ro

Autorul nu este în niciun fel responsabil pentru utilizarea abuzivă sau greșită a ideilor din carte.

Această carte nu este destinată tratamentului oricărei probleme de sănătate sau ca un substitut pentru planificare financiară. Conținutul acestei cărți nu ar trebui să înlocuiască consultări cu persoane competente sau profesioniști în domeniile abordate.

Descrierea CIP a Bibliotecii Naționale a României
HERTZ, ANDY
Mutat la țară - viața fără ceas : din Londra în Apuseni / Andy Hertz.
- București : Berg, 2018
ISBN 978-606-9036-07-5

821.111

Dedic această carte tuturor celor care mi-au fost alături, oamenilor dragi și minunați de la care am „furat” idei și am învățat tot felul de lucruri sau care, prin simpla lor prezență în viața mea, m-au ajutat să leg gânduri din care am așternut pe hârtie rândurile acestei cărți.

Mulțumesc celor care construiesc o lume mai bună pentru noi toți, indiferent de locul în care se află, de statutul social sau de ceea ce au primit de la viață. Îți mulțumesc ție pentru că ai ales să deschizi această carte și mamei mele, pentru că mi-a dăruit această viață minunată!

În munți, într-o căsuță de lemn aflată într-o lume verde, acasă, de unde privesc departe în vale prin geamul de către apus, iată-mă hotărât să scriu despre transformarea vieții mele și despre cea mai bună alegere pe care am făcut-o vreodată.

Chiar acum e soare și inundă camera de lumină, miroase-n casă a iarbă verde proaspăt cosită și-a cafea. Undeva știu că ești tu, nu știu unde și când, dar știu că citești aceste rânduri. Ne separă doar timpul, căci spațiul dintre noi, dintre scriitor și cititor, e totuși o linie dreaptă. Din cauza acestei linii drepte s-ar putea să te sui în mașină și să pornești pe urmele mele, pe drumul pe care îl voi prezenta în cele ce urmează, dar cine oare să știe câți o vor face? Pentru a evita plăceri prea mari ori surprize mici, care deopotrivă nu fac musai bine, voi boteza cu nume fictive, dar în parte potrivite, personajele reale prezentate în această carte. Așadar, cam aceasta este povestea pe care am trăit-o în ultimii doi ani:

1
Chemat de natură

Nici măcar peste noapte, ci peste zi, m-am trezit mutat într-un cătun din Apuseni, tocmai pe final de concediu, când trebuia să mă întorc la Londra, în miezul civilizației, unde mă aștepta o viață mult visată de către mulți est-europeni: un loc de muncă bine plătit, expoziții, concerte, oameni interesanți, barul din Elefant&Castle unde se cântă jazz, muzee și multe altele. Cu toate acestea, m-am trezit brusc într-o altă lume, dar nu într-una aflată mai prejos decât cea care mă aștepta dincolo de mări și țări, ci poate chiar mai interesantă și foarte bogată din punct de vedere social și spiritual, o lume nouă, care m-a cucerit pe loc și definitiv.

Plănuisem să mai rămân vreo trei ani în Marea Britanie pentru finalizarea unei scheme deja funcționale de ordin financiar, menită să mă scoată pentru totdeauna de pe poziția de angajat, subaltern, pion și să mă „îmburde-n rai". Nu bănuiam că mă puteam opri deja, încă prins fiind de ultimele ochiuri ale mrejei lui „mai mult", dar aveam să aflu foarte curând despre libertate și despre o viață simplă, reală, curată și despre viețuire cu mai puțin, adică o nouă socoteală pentru care „mai mult" ar fi fost prea mult.

În prima parte a cărții voi ține povestea într-o extremă, de la lumea lui „mai mult" la una a spiridușilor, pentru că așa s-a întâmplat, așa mi s-a schimbat viața, în puține zile sau chiar ore, astfel că înainte de a-ți prezenta idei practice și alte întâmplări de la țară, gândesc că e important să înțelegi cum am ajuns eu să trăiesc într-un loc de poveste, curgând, în amonte, culmea, către matcă, către căsuța din vise și povești din care îți scriu acum. Iar pentru că mutarea la țară nu înseamnă musai sclavie pe glie, dar nici statul cu mâinile încrucișate, fiecare capitol va fi diferit. Voi face așa încât, după ce vei ajunge la finalul cărții, să înțelegi ce știu eu că se poate face la țară, de ce să nu te rupi întru totul de oraș și cum poți trăi la sat, fiind, totuși, conectat la cultură, artă, educație, afaceri și având o viață socială bogată.

Întors acasă

A început în 12 septembrie 2016 la Hunedoara, în O.M. (orașul muncitoresc), cartierul cel mai verde și liniștit al urbei, cu blocurile-i mici semănând pe undeva, în mintea mea, cu casele londoneze. Era înainte de unsprezece, după ce, tocmai ajuns acasă de la o întâlnire matinală cu prietenii, m-am aruncat pe canapeaua din bucătăria proaspăt zugrăvită în stil cât am putut eu de britanic georgian. Am apucat telefonul și m-am pus să citesc una-alta pe internet. Nici prin gând nu îmi trecea faptul că în seara aceleiași zile urma să pășesc într-o lume nouă. Viața mea calculată, plănuită, gândită, așteptată, lăudată, râvnită, era pe cale să se transforme exploziv. În mai puțin de câteva ore, aveam să mă trezesc lunecând cu viteză pe un jgheab înclinat al minții, apoi, după cursa rapidă și abruptă, să mă trezesc cu totul chiar în partea cea mai colorată din grădina Maicii Domnului (Vorba Papei Ioan Paul al II-lea despre România), apoi plutind prin meandre, ca-n desene animate, și minunându-mă. Aveam să renunț într-o clipită la viața de Londra pentru o căsuță din lemn dintr-un cătun al munților Apuseni, și nu doar atât.

Așadar, încă nu trecuse de miezul zilei, iar eu am decis în câteva secunde, la capătul unui concediu în care doar am muncit, să pornesc pe loc spre Roșia Montană, apoi spre Țarina, un sat răsfirat de mai sus, locul în care uneori poți atinge norii cu mâna. Astfel că, în urma unui articol pe care tocmai îl citisem pe canapeaua din bucătărie, despre un eveniment care chiar atunci se întâmpla, am decis s-o iau din loc. Eram venit în „vacanță", dar ocupând-o cu tot felul de treburi nicidecum apropiate de relaxare, am ales s-o prelungesc cu câteva zile și să amân plecarea către Marea Britanie, timp în care doream să fac ceva inedit, într-un mediu nou, apoi am găsit acel scurt articol și date despre eveniment, și pentru că se întâmpla la altitudine, a fost ușor să decid repede, având nevoie de aer de munte și liniște mai mult ca o rupere de la cele zilnice. Am sunat la numărul de telefon indicat și am așteptat până când a răspuns o fată cu un ton ce trăda o oarecare grabă, dincolo de o mulțime de voci ce se auzeau pe fundal, semn că era forfotă mare acolo. Dorica, pentru că așa s-a prezentat, mi-a propus să merg ca voluntar, pentru că aveau nevoie de ajutor. Perfect! Ne-am înțeles din câteva vorbe. În foarte scurt timp, am făcut rost de un rucsac încăpător de la un prieten, care mi-a dat și cort, și sac de dormit, și voia să îmi împrumute și cratițe și ceaun. Oricum, l-am umplut cu tot felul de lucruri: cu haine, o carte, alimente, sacul de dormit, laptopul și tot felul de alte lucrușoare utile pe la munte, iar pe laterale, în exterior, am atașat cortul de două locuri și izoprenul. Bagajul devenise greu de ridicat, chiar și pentru mine, om zdravăn. Am cercetat încă o dată locuința în care tocmai terminasem de zugrăvit și de aranjat mobila, apoi am sunat la taxi și am ieșit în drum, să-l aștept nerăbdător. Așa a început lunga mea călătorie către căsuța în care trăiesc acum.

Am plecat fără vreun plan anume, fără a ști dacă voi ajunge înainte de lăsarea întunericului la Țarina, însă asta nu conta. Simțeam nevoia de aventură și evadare după mulți ani de planuri stricte și muncă „pe ceas".

Taximetristul m-a dus în viteză pe cele câteva străzi până la autogară, și a claxonat microbuzul care tocmai se pornise la drum din Hunedoara, pentru a-l opri. Am schimbat repede mașinile și m-am instalat pe ultimul loc rămas liber către Deva. Apoi, am anunțat-o pe Dorica despre faptul că mă aflam pe drum, ca să mă ia în calcul la ajutor și masă. Să mă aștepte, să știe clar. Ea era omul de legătură pentru eveniment. Deși eram doi străini, chiar dacă vorbeam scurt, o făceam ca și cum ne-am fi cunoscut deja, ca între prieteni. Mi-a spus că în Abrud mă va aștepta Maia, lăsându-mi apoi numărul de telefon pe care urma să sun pentru întâlnire.

Drumul spre Deva a părut și mai scurt decât este în realitate, mai ales pentru că am folosit acel timp ca să trimit mesaje familiei și prietenilor.

Nu știam daca voi căuta o mașină de ocazie spre Brad, apoi Abrud, pentru că, după cum spuneam, am pornit fără pregătiri în detaliu. Știam doar unde voiam sa ajung, și, bineînțeles, unde nu voiam să mai rămân pentru ultimele zile libere (credeam atunci) din 2016. La Deva am nimerit un autobuz care tocmai pornea în „cursa de Câmpeni", exact ceea ce aveam nevoie ca să ajung direct în Abrud. Am urcat și am găsit loc în față, lângă șofer. Nefiind mulți călători, am așezat rucsacul lângă mine. Cred că era evident pentru ceilalți că mergeam spre munte, după mărimea rucsacului, care ocupa mai mult decât un loc, luând și puțin din spațiul meu de ședere. După câteva zeci de minute, pe când traversam satele de după Brad, printre zecile de iconițe și cruciulițe care decorau parbrizul autobuzului, am privit cum decorul devenea tot mai verde și mai minunat, pe muzica populară autohtonă ce acoperea sunetul motorului și discuțiile dintre cei câțiva călători din spatele meu.

Vreo două ore au trecut fără să clipesc prea des, apoi am coborât, la îndemnul șoferului, în fața unei biserici din centrul Abrudului. Maia m-a îndrumat, prin telefon, către terasa unui bar din imediata apropiere, aflat peste drum de o clădire cu două sirene sculptate în stânga și dreapta unei uși de la balconul fațadei. Încă nu reușisem să termin de băut cafeaua din mica ceșcuță, când am văzut cu coada ochiului o mână întinsă, și mai apoi femeia impunătoare prin atitudine, dar firavă aidoma unei fetișcane. Am decis să o urmez cu încredere către mașină. Am mai schimbat câteva cuvinte până când a oprit la un magazin pentru a mai cumpăra niște alimente, apoi a oprit în Corna la o casă de unde avea de luat niște lucruri, după care am pornit spre Țarina.

Țarina, Roșia Montană, Alba

Pe drum în sus, printre poveștile despre fiecare dintre noi, priveam pe geamul mașinii dolinele din vale, lacul în formă de inimă și cerul senin și plin de culori de către apus. Am urcat vreo jumătate de oră, apoi, după un scurt drum de piatră și o pădure de brazi, am ajuns, intrând pe poartă într-un mic cătun al satului. Locul avea o intrare, o poartă a lui, pentru a nu lăsa sa iasă animalele care pasc în voie pe unde doresc. Coborând din mașină, Maia mi-a indicat cu un gest să mă îndrept spre cei câțiva oameni care mergeau spre vale, despre care îmi vorbise pe drum. Am pornit către ei, lăsând în mașină niște pâini pe care tocmai dădeam să le iau, chiar înainte să primesc indicațiile Maiei.

În timp ce străbăteam cei zece-cincisprezece metri dintre mașină și ceilalți, parcă timpul s-a oprit și îmi lăsa răgaz să realizez ce am găsit acolo. Am găsit o iarbă de un verde pur, curat, plină de floricele albastre. Am găsit cerul senin și norii, care aveau o formă deosebită și parcă o altă culoare decât cea văzută de jos, din oraș. Am găsit căsuțe din lemn, grajduri vechi, căpițe de fân, cai, vaci, câini și pisici, și păsări nemaivăzute de ochii mei până atunci. Am găsit garduri din piatră și porți din lemn, vatră de foc și apă de izvor. Am găsit adăpost și mâncare bună. Am găsit natura care mă chema de-atâta vreme și liniștea ei, iar cel mai important, am găsit oameni frumoși și deschiși, care mă așteptau ca pe unul de-al lor, pentru că au înțeles! Și m-am găsit pe mine, copilul pe care l-am lăsat demult undeva, în trecut. Deși practic pe toate acestea le-am realizat puțin mai târziu, cumva, dincolo de înțelegerea mea, le știam din acea clipă, făcând acei primi pași pe pământul „de aur".

Drumul de pământ și piatră pe care călcam era învăluit de iarbă și pe alocuri de stânci, la capătul căruia zăream orizontul, peste munți și dealuri care în dimineața ce urma aveau să mi se dăruiască din nou, învăluite de marea alpină. Dorica, fata grăbită cu care discutasem mai devreme la telefon, era foarte calmă acum. Avea părul scurt și era îmbrăcată băiețește, ținând pe umăr o straiță tradițională în care purta pâine și apă pentru copii. S-a oprit, apoi a făcut spre mine câțiva pași, până când ne-am întâlnit, după care ne-am luat, parcă instinctiv, în brațe.

L-am cunoscut pe fiul ei, Teodor, un drăgălaș, și pe Ralf, un tip înalt, cu o bască verde pe cap și îmbrăcat militărește, asemeni unui pădurar austriac, căruia îi lipsea doar arma de vânătoare. Ne-am strâns mâinile și ne-am salutat. Apoi, am făcut cunoștință cu niște băieți din sat și, pe rând, cu alți oameni interesanți care porniseră, înainte să ajungem noi, către Piatra Corbului.

Am părăsit drumul pentru un fel de potecă, mai mult acoperită cu iarbă, dar având pământul parcă despărțit de tălpile și copitele care l-au călcat de-a lungul vremii. Coborând apoi pe cărarea abruptă printre stânci, unii dintre noi mai alunecam și cădeam pe iarba umedă; pesemne că plouase puțin înainte ca eu să ajung la Țarina, asta fiind o explicație de fotograf pentru culorile naturii ce păreau a fi atât de curate. Ne-am întins într-un șir destul de lung, căci eram vreo douăzeci de oameni, astfel că distanța dintre primul și ultimul era de câteva sute de metri. După ce am coborât pe la marginea satului, am traversat un petec de case al Roșiei Montane, apoi am început să urcăm printre brazi, povestind și cunoscându-ne unii cu alții.

Mai sus, aproape de Piatra Corbului, în partea cealaltă a unui mic gard vechi din lemn, am zărit infinitul, cât o fi fost el de infinit, pentru mine, om trăit multă vreme printre clădiri înalte, metrouri, autostrăzi. Oricât de mult aș vrea să îl explic prin cuvinte, nu cred că aș putea. E ca și Transfăgărașanul: dacă n-ai fost acolo, n-ai văzut nimic, pozele pot reda prea puțin. Natura are miros, are vânt, are greieri, frunze care se leagănă și te ating uneori pe frunte, atunci când privești lung, în tăcere, de la umbra vreunui pom. Asta nu vezi în poze. Infinitul e doar acolo sus, când ești și tu acolo. Orice altceva e insuficient.

– El e Andy? Bine ai venit, Andy! se auzi o voce caldă care părea oarecum familiară, deși nu era.

Mă saluta Petru, conducătorul grupului, pe care l-am ajuns din urmă. Era îmbrăcat într-o ținută indiano-hippie și ținea în mână un fel de toiag din lemn de trandafir, cu crengi tăiate scurt în partea de sus, crescute în lateral, ca un fel de furcă îndoită.

– Bine v-am găsit! am răspuns, abia rupându-mi ochii de la imaginea magică a naturii care își întindea parcă firele ierbii, crengile copacilor și ceața văilor ca să mă îmbrățișeze ca pe un copil întors după o lungă călătorie.

Am ajuns acasă! mi-am spus. Acesta este locul care m-a așteptat și pe care l-am căutat cu gândul atât de mult.

M-am îmbrățișat cu Petru, ca semn de prietenie, se pare, în acea comunitate. Așa, ca și cum am fi fost prieteni vechi, și ne-am revăzut după zeci de ani. Am început să povestim, pornind mai departe către Piatră.

Piatra Corbului, Roșia Montană

Peisajul văzut de acolo, de sus, îți tăia răsuflarea și te făcea să te oprești din vorbit uneori ca să îl poti vedea și înțelege mai bine. După o scurtă rătăcire a unora din grup și după câteva strigături de semnalizare, ne-am regăsit cu toții pe Piatra Corbului, o stâncă, un vârf de lume, peste apus, peste satele din văi, peste biserici, peste tăuri, peste noi înșine, cei care ne aflam mai devreme, acolo jos, în vale.

După câteva minute de poveste și povești, de poze, de revenire după efort, ne-am așezat fiecare pe unde am găsit, în timp ce Petru își căuta și el un loc din care să îl putem vedea cu toții. Printre noi ședeau și câțiva copilași, atât de cuminți, de parcă priveau desenul lor animat preferat. Apoi Petru a spus câteva cuvinte despre întâlnirea noastră magică și despre Piatra Corbului. Despre energia pământului radiată de aurul Apusenilor, despre grup și comunitate, despre faptul că muntele ne-a chemat acolo și despre filtrele naturii prin care oamenii trec ca să ajungă sau ca să rămână în acele locuri. Spunea el, „...nu toată lumea poate să vină aici!”. Desigur, în felul în care noi am ajuns, întâmplător, dar totuși neîntâmplător, ca și cum am fi fost chemați.

Nu știu unde a fost începutul sau sfârșitul conștientizării mele despre ceea ce am găsit acolo, dar așa a început totul, magic.

2
Dezlegarea de Londra

După cuvintele lui Petru am avut parte de o altă experiență pe cât de nouă pentru mine, pe atât de interesantă, surprins fiind parcă la fiecare pas, realizând cât de profund gândesc cei de acolo și cât de departe, și cât de conectați sunt ei cu natura. Am realizat că pentru ei micile răutăți ale lumii orașului nici nu există.

Focul inimii

Chan, pe care l-am cunoscut pe drumul dintre brazi cu zece minute în urmă, un belgian venit de la două mii de kilometri distanță pentru a vizita Roșia Montană, ne-a cerut, pe un ton deloc persuasiv, să îi dăruim cinci minute din timpul nostru. Desigur, nimeni nu a refuzat, cu toții fiind dornici să învățăm unii de la ceilalți și, mai ales, să ne cunoaștem. A început să rostească cuvinte într-o engleză nu foarte curgătoare, dar vorbind rar și totuși inteligibil:

– Vă rog să vă puneți o mână pe piept, în dreptul inimii!

M-a luat pe sus acest exercițiu, eu convins, nu știu cum, că am venit doar ca să admirăm peisajul încântător și învăluitor zărit de acolo, de pe Piatra Corbului, pentru că era oricum prea mult dintr-o dată, direct din vâltoarea muncii și zgomotul orașului, la culori noi și puternice de cer și pământ, sunete ale naturii care formau cântece, idei diverse căzute sau urcate la diferite etaje ale minții, discuții noi, prieteni noi atât de diverși, dar uniți, iată, într-o horă de dans a gândurilor împreună.

Turnurile celor două biserici din satul Corna păreau bețe de chibrituri înfipte în imensitatea de verde. Cerul își etala paleta de culori de la albastru senin de seară până la roșu aprins, către apus, iar soarele se pregătea să se ascundă dincolo de pământ. Limpezimea tăului de sub prăpastia pietrei pe care stăteam întărea calmul și liniștea pe care le simțeam tot mai adânc. Auzeam puternic foșnetul frunzelor copacilor din apropiere, în timp ce copiii priveau atenți la cei mari, scăpând câteva râsete venite probabil din faptul că, prin schimburi inițiale de priviri, se cerea liniște. Chan ne-a rugat să închidem ochii, apoi a continuat, parcă mai ferm, dar la fel de rar:

– Imaginați-vă că în inimile voastre există niște grădini minunate și pline de flori de toate culorile! spunea, făcând pauze destul de lungi între cuvinte.

– Fiecare dintre voi, aduceți-vă aminte de o imagine a voastră de atunci când erați copii. Imaginați-vă copilul care erați, cum acum umblă vesel pe cărarea de cristal din acea gradină minunată din inima voastră, către un altar tot de cristal, pe care stă așezată, în mijloc, o cupă de aur. În acea cupă de aur arde un foc care emană o lumină foarte puternică. Acela este focul inimii voastre. Încercați să vedeți și să simțiți cum acel foc este conectat, prin fire subțiri de aur și energie, cu toate focurile din inimile tuturor viețuitoarelor din această lume și cu focul din inima muntelui pe care ne aflăm!

Apoi ne-a lăsat așa o vreme, în liniște, cu toții fiind cufundați în lumea minunată creată acolo, pe loc, în mintea fiecăruia dintre noi.

– Acum, continuă Chan, imaginați-vă că aici, lângă noi, există o scară de cristal care coboară direct în inima muntelui, către un altar de cristal și focul din cupa de aur așezată pe el, iar voi, copiii cu urechi de elf, din grădinile inimilor voastre, coborâți această scară către inima muntelui cântând: *I looove you, I looove you!* (Te iubesc! Te iubesc!).

M-am lăsat plimbat prin poveste, în timp ce vântul îmi mângâia obrajii și părul, apoi am revenit la realitate, acolo sus, deasupra lumii. O realitate mai frumoasă, în jurul unor oameni care propovăduiesc iubirea de tot și de toate, oameni interesați de fericirea venită din interior, conectați unii cu ceilalți, cumva, prin fire de aur și energie, ca în povestea cu scara către focul inimii muntelui. Eu, omul venit direct din mijlocul „turnului Babel”, ființă care nu a știut să-și asculte inima, am nimerit exact între oamenii care asta fac. Chiar dacă uneori sunt judecați sau arătați cu degetul pentru că trăiesc diferit de marea masă, ei sunt cei de care aveam nevoie pentru a echilibra balanța dintre mintea și sufletul meu. M-am trezit apoi privind apusul în tăcere, alături de străinii care aveau să îmi schimbe viața sau care deja o făcuseră, fără ca eu să conștientizez.

În mijlocul acelui peisaj incredibil, gândind cu toții același lucru, parcă ne-am împrietenit pe vecie unii cu ceilalți, deși, cel putin eu, până în acea seară, nu cunoscusem pe nimeni de acolo.

Piatra Corbului se află cam la o oră de mers pe jos, de cățărat și de coborât, de satul Țarina. Am pornit înapoi, ajungând după lăsarea întunericului înapoi la mașini. Mi-am luat lucrurile și am căutat un loc unde să-mi instalez cortul în campingul improvizat. Nu mi-a luat mai mult de 20 de minute să îmi pun toate lucrurile în ordine, apoi am pornit, rupt de foame, către bucătărie, unde am găsit o grămadă de bunătăţuri, aceasta aflându-se pe cealaltă parte a drumului. Acolo am aflat că oamenii locului au ales să consume mâncare vegetariană. Cunosc oameni care au ales să nu mănânce carne de peste zece sau chiar douăzeci de ani. În ultimii ani, în Londra chiar, și eu am avut perioade în care am redus consumul de carne sau chiar n-am mâncat deloc în anumite perioade, datorită multor vegetarieni pe care i-am cunoscut acolo, astfel că celor din Țarina nu le-a fost greu să mă facă fericit în această privință și chiar m-am bucurat că am găsit oameni cu care să împărtășesc această practică în mijlocul naturii, acolo unde majoritatea fac grătare și beau bere. După ce am terminat de mâncat, am fost chemat la vatra focului, unde se aflau deja alții așezați, povestind, pe rând, întâmplări și experiențe legate de munte, de viață în general, de oraș.

Apa vie

După ce am intrat și eu în atmosfera de lângă foc și apucasem să povestesc cu cei așezați pe lângă mine, Maia m-a chemat să mergem după apă. Ne-am întors la bucătărie, de unde am luat două găleți curate și am pornit împreună către izvorul aflat după deal, la două minute de mers pe jos. Pe drum, mi-a explicat importanța a ceea ce urma să facem și faptul că m-a chemat pe mine ca să fiu într-un fel inițiat și educat cu de-ale locului.

– Apa este un element vital pe planeta noastră, după cum bine știi. În mare parte, corpurile noastre conțin apă, din acest motiv este esențial să bem apă curată și vie! spunea Maia pe drum.

Apoi, am povestit despre apă și despre schimbările sale în contact cu mediul prin care trece. Mi-am amintit atunci câte ceva din ce am citit și am văzut în diverse documentare despre apă, despre structura ei moleculară după ce a fost ținută în diferite recipiente, fiecare fiind supus unui alt tratament. Unora dintre recipiente le erau montate difuzoare, prin care se emitea un anume gen de muzică, apoi erau înghețate aproape instant; „florile de gheață" care se formau erau diferite, văzute prin microscop. Am văzut astfel floarea de gheață a apei sfințite. Am mai văzut diverse plante crescute în diferite recipiente, cărora, zi de zi, pentru o perioadă, li se transmiteau prin puterea gândului diverse sentimente, de ură, de iubire, iar altele erau ignorate. Plantele se dezvoltau diferit, chiar foarte diferit. Apa din recipientul care a fost ignorat avea cea mai dezordonată formă, iar plantele crescute în ea au mucegăit. Dacă mă gândesc la asta, știind prin câte țevi ruginite și prin câte filtre trece apa din oraș ca să ajungă la consumatori, nici nu îmi mai vine să o beau. În final, Maia mi-a spus:

– Până când gălețile se umplu cu apă de izvor, ne rugăm ca această apă să ducă iubire peste tot pe unde va ajunge. Pentru că iubirea spală totul, tot ce e rău pe Pământ!

Și m-am rugat, deși nu îmi venea să cred că făceam asta, că eram acolo, eu. Înainte de acel moment îmi imaginam că astfel de lucruri se întâmplă undeva departe, poate pe la vreo mănăstire în Tibet sau cine știe unde, dar nicidecum la munte, lângă mine. Conștientizam faptul că undeva, nu departe, în Munții Apuseni, cu o seară în urmă, cineva se rugase ca apa să îmi aducă și mie iubire, iar astăzi făceam și eu același lucru pentru ceilalți, chiar și pentru tine. Era un sentiment extraordinar! Ca și în povestea lui Chan, m-am lăsat din nou purtat de magia locului și de ceea ce făceau ei acolo, rugându-ne amândoi ca apa să ducă cu ea iubirea noastră întregii lumi. Apoi am luat eu gălețile (ca să mă echilibrez, a zis Maia) și le-am dus lângă focul înconjurat de oameni, după care toți ceilalți, preț de câteva zeci de secunde, au făcut același lucru pe care l-am făcut și noi lângă izvor. Abia după aceea am băut fiecare dintre noi, pe rând, din acea apă rece și pură.

Mi s-a părut fascinant! Toate erau acolo, sufletele noastre, apa, vântul, pământul și focul. Focul în care niciodată nu erau aruncate mizerii, lăsat fiind să ardă doar ca să ne țină împreună, acolo, pe noi, cei din jurul lui. Nu știu exact în ce moment, dar cu siguranță undeva în subconștientul meu s-a întipărit în acea zi decizia de a nu mă mai întoarce la Londra. Parcă trăiam un vis.

Cam așa a arătat prima mea zi sau mai bine spus prima seară la Țarina, la munte, la țară, loc în care mă simțeam deja acasă. M-am dus într-un târziu la cort, unde m-am învelit cu sacul de dormit și am adormit buștean, în timp ce vizualizam ceea ce am trăit puțin mai devreme, legănat fiind de sunetul tălăngilor agățate la gâtul văcuțelor aflate în apropiere.

Prima dimineață în noua viață

Odată cu răsăritul soarelui, m-am trezit tot în cântecul tălăngilor văcuțelor care pășteau în voie pe lângă corturi. Am deschis ochii și am aruncat repede sacul de dormit de pe mine, pentru că era o căldură înăbușitoare. Cortul mic și verde se transformase în cuptor, fiind în bătaia soarelui. Când am deschis fermoarul și am scos nasul afară, m-a pălit aerul rece și tare de munte. Am pus picioarele goale în iarba încă udă de rouă.

Era o dimineață însorită și cerul senin. M-am spălat la robinetul unui butoi pus pe o construcție din lemn de lângă o căsuță veche, în timp ce dădeam „Bună dimineața!" câtorva somnoroși care se așezau cuminți la rând, având prosoape pe umeri și periuțe de dinți în mâini. După alte câteva minute de autogospodărire pe lângă cort, am plecat nerăbdător și curios către bucătăria casei din deal, unde era locul de întâlnire de dimineață. Oamenii apăreau de pe te miri unde, ba din case, ba din corturi, ba din șurile cu fân. După ce am făcut cunoștință cu noii veniți în zorii zilei, am zărit pe prispa casei masa plină de bunătăți.

Micul dejun era deja pregătit de către cei care se treziseră înaintea mea. Ceaiul de tei și busuioc „mi-a făcut cu ochiul" din oala de lut. Într-o cratiță mare, cafeaua aștepta fierbinte somnoroșii, alături de laptele proaspăt de la văcuțele care mă treziseră lin cu tălăngile lor. Pe un platou am găsit fructe, unele curățate și tăiate, toate aranjate frumos și pregătite cu drag pentru noi. Mere, piersici, prune, struguri, pepene verde. O sticlă mare, plină cu miere, era așezată lângă pâinea de casă făcută jos, în Corna, în cuptor. Am mai găsit și unt, dulceață de soc și tot felul de cereale. Am ales într-un final fructele. Acel mic dejun, ca și dimineața întreagă, au fost un fel de resetare, de curățare, un nou fel de a începe ziua într-o nouă viață, cu bucurie, în aer de munte, relaxat și odihnit, după o trezire naturală dintr-un somn bun, fără ceas deșteptător. Am mâncat încet, la masa lungă din curte, ascultând cu toții muzica bisericească ce se revărsa în surdină din difuzorul așezat în geamul bucătăriei. Apoi m-am întins pe iarbă, la soare și am stat, pentru că asta era tot ce îmi doream atunci să fac și pentru că puteam. Eram, în sfârșit, într-adevăr liber, în mijlocul adevăratelor bogății.

Mai târziu, ne-am organizat, astfel încât să facă fiecare câte ceva util. Unii s-au dus după lemne, alții după apă, alții au montat niște corturi mari. Eu m-am oferit să ajut la bucătărie, pentru că îmi face plăcere să gătesc.

Mi s-a prezentat cămara, loc în care instantaneu mi s-a făcut foame, din nou, văzând o ladă plină de roșii cât dovlecii, crăpate de coapte ce erau, și brânză proaspătă în niște cutii, de la oile ciobanilor din vecini. Am fost numit bucătarul secund al grupului pentru următoarele zile, făcându-i concurență lui Codrin, un tânăr foarte vesel și vorbăreț, pasionat de gătit, care a ocupat singur postul de bucătar până să ajung eu acolo. Am învățat de la el, printre altele, să arunc busuioc verde, frecat bine între palme, în ceaunul în care fierbeau tot felul de mâncăruri. Bună treabă!

Învârtind linguroiul de lemn prin ciorba din ceaun, priveam din când în când în zare; în timp ce împărțeam mâncarea cu polonicul în bolurile pe care pofticioșii le țineau întinse, mi-am dat seama că am găsit ceea ce căutam de atât de mult timp în Londra prin muncă pe ceas și strânsul banilor. Ceea ce voiam eu să îmi construiesc cu atât de multă trudă, aici aveam deja: libertate, prieteni, natură, sănătate, voie bună, joacă, armonie...

Explicații către cei dragi

În următoarele zile, pe lângă bucuria de a mă afla acolo, am avut și momente de zdruncinări interioare, pentru că eu de fapt eram pe cale să îmi schimb radical viața, iar complexitatea acestui fapt nu o realizezi pe loc, chiar dacă decizi asta într-o secundă. Mai târziu îți vin în minte toate treburile pe care e bine să le lași rezolvate, ca și demisia de la locul de muncă sau explicațiile pe care trebuie să le dai celor apropiați, oameni care, din cauză că îți vor binele, nu pot fi de acord prea ușor cu o astfel de schimbare. După ce mi-am anunțat familia și prietenii cu privire la decizia de a rămâne în țară, am primit întrebări de tot felul, dar cele mai multe sunau cam așa: „Cum și de ce renunți la Londra?”, „Cum poți să renunți la un venit sigur și bun, și la un loc de muncă la care mulți alții visează?”, „Cum să renunți la civilizație?”, „De ce renunți la planurile tale de afaceri?”, „Cum o să trăiești la munte? Vine iarna! Ai înnebunit?”, „Dacă e cazul, cum ajunge salvarea acolo?”, „Ai luat-o razna, vino la muncă! Cât crezi că o să supraviețuiești?”

Ei bine, răspunde-le punctual! Renunțam la Londra, renunțam la un loc de muncă bun, la un venit considerabil, la o viață socială întinsă pe mai multe zone, dar asta nu înseamnă că nu mă mai puteam întoarce acolo niciodată. Am luat o decizie de suflet. După atât de multe drumuri mari și late, urmate la comanda creierului, a venit timpul să urmez poteca sufletului, cu acordul creierului. Iar când mintea și sufletul se aliniază, tare bine le mai șade împreună.

Mai târziu vom vedea, le-am spus. Mă pot întoarce oricând, oriunde. Sunt un om onest, sincer și sociabil. Așa mă cunoaște lumea, așa mă știu și eu. Apoi, la un venit sigur nu renunț, pentru că mi-am construit deja o bună bucată din plan (despre care am povestit în cărțile *Viața, cel mai frumos cadou* și *Devino rege sau rămâi pion)*. Renunț la civilizație? Renunț la prilejul de a accepta încă să mă înghiontesc și să mă lupt pentru a mă putea înghesui în vagoanele neîncăpătoare ale metroului la orele de vârf, participând cu bună știință, ca actor, într-un spectacol cu adevărat sinistru în comparație cu cântecul tălăngilor văcuțelor de la munte. Renunț la a alerga spre locul de muncă, uitându-mă tot timpul la ceas. Renunț la îndobitocirea pe care o face televizorul. Renunț la gălăgie și poluare. Renunț la micile răutăți și bârfe inerente vieții trăite în aglomerație.

Mai târziu, am aflat că aveam să am parte de mai multă socializare pură la munte decât în oraș. În oraș trăiam zi de zi între aceiași oameni, desigur, foarte dragi, dar la munte vin tot timpul oameni noi, deschiși, curioși, de la care mereu aud povești noi și interesante. În oraș auzeam cam aceleași povești de zi cu zi, iar oamenii dragi rămân la fel de dragi atunci când vin ei în vizită la munte și atunci când merg eu să îi vizitez, ori la nevoie. Nu îi părăseam!

Vine zăpada la munte? Iuhuuu! Să vină! Era o experiență pe care abia așteptam să mi-o dăruiesc și de care îmi era foarte dor după atâția ani de Londra, unde iernile sunt un fel de toamne ploioase. Eram sigur că nu aveam să mor nici de foame, nici de frig. Cum ajunge salvarea la munte? Pe la munte nu e atât de mare nevoie de salvare pe cât e în oraș, pentru că oamenii se îmbolnăvesc mai greu, iar pentru cazuri de urgență există mașini, și da, vine salvarea și la munte. Nu cred că este sănătos și necesar să-mi petrec timpul vieții în vecinătatea unui spital, într-un mediu bolnav, de frica bolilor și morții. Aleg să îmi trăiesc viața cât mai frumos posibil, iar în final, asta poate fi o alegere temporară. Dacă am ales experiența asta acum, nu înseamnă că ea este veșnică.

Mai mulți oameni și mai multe povești

Între timp a venit și sfârșitul de săptămână. Odată cu el, au apărut și mai mulți oameni de prin toate colțurile țării, dar și câțiva din străinătate. Tot atunci au venit și doi tineri, care ne-au adunat în jurul focului și ne-au povestit despre experiența lor de a renunța la oraș și de a se muta într-un sat, într-o casă veche și cu vecini la distanță. Ea ne-a explicat despre cum au început și cum s-au descurcat, iar el ne-a dat detalii despre construcții și permacultură. Pentru cei care nu au auzit încă acest termen, din ceea ce am înțeles eu despre el, se referă la grija față de resursele necesare vieții și la grădinăritul fără îngrășământ chimic, folosind doar natura pentru a produce resurse de hrană curate și atât cât este necesar traiului, fără a deranja vietățile și plantele din jur. Mi-a plăcut foarte mult de ei, iar după o vreme i-am și vizitat. De altfel, ușa lor și a multora ca ei este deschisă pentru cei care doresc să le dea o mână de ajutor sau pur și simplu să vadă cum trăiesc ei acolo.

În România și în lume există multe comunități care s-au închegat tocmai pentru traiul împreună în mijlocul naturii, dar protejând-o și respectând-o în același timp. Începeam să învăț despre asta și să înțeleg cum trăiesc alții în această „altă lume", pentru că era foarte diferită de ceea ce știam eu, obișnuit fiind să supraviețuiesc prin orașe.

În Londra, mi-am dat seama de multe ori că eram rupt de natură, dar, mai ales după întâlnirea cu acești oameni, începeam să înțeleg cât de multe am lăsat deoparte în anii trecuți. Desigur, orașul are și părți bune. În mijlocul lui poți să studiezi la școli înalte, poți să participi la tot felul de acțiuni sau evenimente, poți avea acces mai ușor la diverse proiecte și la tot felul de oameni de care uneori ai nevoie, etc..

Nu mi-am propus ca în această carte să ascund importanța și calitățile orașului, ci doresc să-ți povestesc despre posibilitatea fiecăruia dintre noi de a trăi o viață frumoasă și împlinită într-o lume uitată sau lăsată deoparte, conectați fiind, totuși, la întreg.

Tot lângă foc, am cunoscut-o pe Ioana, o ființă fermecătoare, care are un talent ieșit din comun în a spune povești de tot felul. Poate să capteze atenția oricui și să transmită cu foarte multă ușurință mesaje pozitive, sentimente și știe tot felul de povestioare cu care îi încântă mereu atât pe cei mici, cât și pe cei mari.

A meșterit dintr-o rădăcină de copac un fel de sceptru, pe care îl foloseam în jurul focului, seara, ca pe un element magic, cu ajutorul căruia reușeam să comunicăm într-un grup mare. Când îl țineam în mână, sceptrul îmi dădea dreptul să vorbesc în voie, și, ca prin magie, îi făcea pe toți cei din jur atenți numai la vorbele mele. Astfel, fiecare dintre noi, putea împărtăși cu ceilalți gândurile noastre, fără ca cineva să ne întrerupă sau fără să apară contraziceri directe, replicile putând veni doar atunci când persoana dornică să vorbească ajungea în posesia sceptrului. Acum am și eu un astfel de „ajutor" pe care îl folosim deseori în același fel, realizat dintr-o rădăcină uscată, într-o dimineață de vară, de un prieten sculptor din Bihor.

Cam acestea ne erau treburile pe acolo, un fel de joacă. O joacă prin care ne bucuram cu toții de fiecare zi petrecută împreună, de natură, de viață.

Zilele treceau astfel, dar cine le mai socotea? Oamenii veneau și plecau, în dimineți cu aer rece și fructe, în amiezi cu ceaune și somn pe iarbă, în seri cu foc și ceaiuri calde, iar noi trăiam și ne bucuram.

Între timp, am coborât de câteva ori în oraș, la cumpărături. S-a întâmplat să merg prin magazine în haine de munte și pantofi plini de noroi. Cei de acolo nu știau de ce și de unde veneam. Le simțeam privirile curioase, dar nu îmi păsa. Am remarcat și micile răutăți cu care erau învățați să trăiască, dar n-aveam altceva de făcut decât să zâmbesc ca și cum aș fi avut un mic secret, acela că am ajuns atât de ușor și repede să cunosc o lume nouă și fermecătoare, la care abia așteptam să mă întorc.

Indiferent despre ce vorbeam sus, în Țarina, conexiunea dintre noi era la fel de profundă. Ceva ne chema acolo pe toți. Nu muzica și festivalul, despre care aș putea povesti destul, nu mâncarea, nu evenimentul, ci nevoia de comunitate și natură.

Bineînțeles că îmi zburdau prin minte o mulțime de întrebări, „Oare din ce trăiesc ei?", „Câți locuiesc aici permanent?", „Dacă nu veneam întâmplător, aș fi aflat toate acestea vreodată?", „Aș putea să mă alătur grupului?", „Sunt într-adevăr o comunitate?", „Cum ar fi arătat viața mea dacă n-aș fi venit să cunosc această lume nouă?", dar încercam să rămân cât mai mult cu mintea în prezent, cumva ca în timpul copilăriei, când setea de nou și necunoscutul multor clipe lungea parcă timpul, de nu se mai terminau zilele.

Tot la foc, am auzit povestea Milicăi despre aparențe; o femeie trecută de vârsta a doua, blândă și protectoare, care m-a ajutat la bucătărie cu gătitul, apoi, într-o după-amiază, a făcut o minunată dulceață de afine. Ea a luat în mână sceptrul într-un moment de liniște și a început să ne relateze o întâmplare, care suna cam așa:

– Într-o zi, mă aflam într-un supermarket din vecinătatea casei și tocmai ce ajunsesem în grabă la casa de marcat, unde un bărbat și o femeie își plăteau cumpărăturile. Apoi, ea a luat plasele grele, iar el doar o sticlă de suc cu toartă, pornind către ieșire și păstrând cumva ambii un aer de înțelegere a faptului că ea făcea treaba grea. Eu, spuse Milica, aveam doar câteva produse, așa că le-am plătit repede și am fugit după ei, ca să fiu sigură că-i prind din urmă. Ajungând chiar în spatele lor, mă cuprinsese deja un sentiment de ură pentru acel om, care lăsa femeia să care plasele grele, și m-am hotărât să îi spun vreo câteva, din cauza a ceea ce am trăit și eu în trecut. Am mai făcut doi pași mari și am ajuns în dreptul lor; atingându-l pe umăr, el s-a întors puțin spre mine, și, fiind descheiat la haină, am văzut că nu avea o mână. Mi-a dispărut vocea și mi-a fugit cumva pământul de sub picioare. Atât de rușine mi-a fost, mie de mine, că am îndrăznit să judec un om fără a-l cunoaște. Atunci mi-am dat seama cu adevărat cât de mult înșală aparențele și cât de grav am judecat acum și poate de-a lungul vieții, probabil de multe ori, fără să fi știut pe deplin povestea din spatele „măștilor" oamenilor. Câte și mai câte nu cunoaștem despre ceilalți! Asta am vrut să vă spun!

A lăsat sceptrul jos și, pentru o vreme, cu toții am privit focul, ascultându-i pocniturile și trosniturile care se contopeau cu melodia greierilor, frunzelor și vântului lin al întunericului ceasului târziu, ce tot mai mult se lăsa peste noi.

Ploaia, iubirea, libertatea

Mai târziu, tot în acea noapte, la un moment dat a început ploaia brusc și tare, care ne-a alungat, fără timp de ezitare, pe unii spre locurile de dormit, iar pe alții la bucătărie, unde se mai putea sta la povești. Aveam acolo internet wi-fi și o stație de amplificare pentru muzică. Eu am fugit la cort, dar nu s-a dovedit a fi cea mai bună alegere. Doar în cort să nu fii când plouă, mai ales în unul din acela mai mic, făcut pentru ieșiri scurte și nu pentru a rezista mult timp la stropii mari și grei, care loveau în partea de deasupra capului de parcă ar fi fost multe nuci aruncate cu coșurile de la etajul 10, răsunând ca galopul a zeci de cai de curse. Din câteva mișcări scurte, am ajuns în sacul de dormit, fară a mai îndrăzni să ies pe cine știe unde prin ploaie cu lanterna pentru a mă spăla pe dinți. În câteva minute m-am liniștit, chiar dacă sunetul ploii ce lovea în materialul cortului nu și-a schimbat intensitatea.

Am stins lanterna, am închis ochii și am ascultat ploaia, încercând să mă bucur de ea. Retrăiam rugăciunea pentru apă, apă care, dacă îi ceri, poate să ducă iubirea ta peste tot prin lume ca prin magie și înțelegeam faptul că acei stropi mari, de fapt, mă făceau conștient de belșugul simplității în care mă aflam, nu de atunci, ci dintotdeauna, fără să fi știut. Interesante momente în singurătate după asemenea zile.

Țin minte chiar că am încercat să ascult ploaia ca pe o muzică, ca să văd cât de mult puteam rezista fără a fi deranjat de aceasta. Îmi imaginam cum ar fi fost să mă fi născut într-o lume în care să fi plouat tot timpul, fără oprire, ca și cum ar fi fost firesc, natural, obișnuit. Apoi iar, ascultând-o, simțind belșugul căzându-mi pe cort ca și cum mi-ar fi căzut direct pe cap și în cap; mi-am dat seama din nou că am ajuns în sfârșit acasă. Acolo, la munte, în cort, în iarba verde, în ploaie, noaptea, eram acasă! Ce sentiment măreț!

Mai mult ca niciodată, simțeam că nu mai puteam da înapoi. Rămânerea mea în România era hotărâtă deja. Ploaia, cu fiecare strop mare și greu căzut pe cort, aducea cu ea, pe lângă iubire și toate celelalte, sentimentul larg și adânc de libertate. Pe cum mă adânceam tot mai tare în somn, Londra se îndepărta de mine tot mai mult…

3
DRUMUL CĂTRE CĂSUȚĂ

Dimineață, ce să vezi, ploua tot cu iubire. Parcă m-am obișnuit și am luat-o ca fiind parte din experiența și drumul meu către partea practică ce avea să urmeze prin mutarea mea la țară.

În partea de jos a cortului s-a strâns puțină apă, iar pantofii mei, singurii pe care îi aveam acolo, s-au cam udat. După ce mi-am continuat dimineața umblând în ei prin iarba plină de rouă, s-au udat complet. Între corturile din micul „camping" și bucătărie era construit un mare cort indian, un teepee în formă conică, în care câteva fete cântau în jurul unui mic foc ce-și trimitea fumul către cer prin deschizătura din vârf. M-am descălțat de pantofi și i-am pus acolo la uscat, lângă foc, iar eu m-am dus înapoi în cortul meu ca să citesc. În acea zi am stat în cort, deși ploaia se oprise. Codrin, celălalt bucătar, umbla mai tot timpul desculț, de plăcere. Eu însă, mi-am propus să merg într-una din zilele următoare la Hunedoara ca să îmi aduc cele două perechi de bocanci rămase nefolosite de multă vreme. Când am venit spre munte nu știam că voi rămâne pentru vreme lungă sau chiar, posibil, pentru totdeauna. Îmi luasem lucruri doar pentru două-trei zile. Iar ziua aceasta, în care mi-am găsit pantofii uzi, am folosit-o ca să citesc. Aveam cu mine o carte despre Reiki, primită de la un prieten care deschisese subiectul la cafea, în oraș, nu cu mult timp în urmă. Mi-am propus să o citesc, chiar doar ca să pot purta o simplă discuție la nevoie despre acest nou subiect, astfel că am adus-o cu mine la munte. Citind-o, am aflat despre cei șapte centri energetici ai corpului omenesc, cele 7 chakre prin care circulă energia în corp. A fost zi bună, vorba Domnului.

Predarea către sine și natură

Zilele următoare am descoperit lucruri noi, locuri și oameni. Nu peste mult timp, am răcit destul de tare, nefiind obișnuit cu muntele și pentru că, până să îmi aduc celelalte perechi de bocanci, am umblat din nou cu încălțările ude. M-au luat și durerile de cap. În cele din urmă, Maia, cea care m-a adus din Abrud în prima zi, m-a așezat pe un scaun în bucătărie și, într-un moment de liniște, mi-a pus mâinile pe spătarul scaunului, care îmi venea în piept, iar ea și-a lipit palma pe fruntea mea caldă, pentru o vreme, până când mușchii gâtului mi s-au înmuiat și mi-am lăsat, parcă, toată greutatea capului, dar și a schimbărilor majore prin care treceam, în mâna ei. Nu știu dacă energia-i sau mintea mea mi-a luat durerea, dar m-am ridicat mult mai vioi de pe scaun.

Tot în acea zi am pornit cu Maia pe jos, pe drumul către Corna, să facem puțină ecologizare. Incredibil, cât de mult gunoi poți găsi pe drumuri umblate de foarte puțini oameni și de cât de puțin preț pun unii pe mediul în care trăiesc. Adunând tot felul de pungi, sticle și conserve de pe marginea drumului, am povestit despre viața ei și despre a mea.

Ceva mai târziu, am avut o discuție cu Petru, lângă cruce, apoi cu Dorica, privind de pe o stâncă apusul, în sunetul tălăngilor și al vântului. După ce le-am povestit despre dorința mea de a rămâne până când îmi voi găsi o casă de cumpărat, le-am cerut părerea și aprobarea, povestindu-le și despre zbuciumul din mintea mea. Cu toții au răspuns în același fel:

– Fă ceea ce simți, apoi toate se vor aranja pentru tine! Ascultă-ți inima!

Și se pare că așa a și fost. Toate s-au aranjat cum nu se putea mai bine.

În acea seară am decis, în mod conștient și clar, să rămân acolo, cu ei, având deja un conținut concret și logic al tranziției cu tot ce înseamnă ea, schimbând viața de oraș cu cea de munte. După lăsarea întunericului, am plecat la o plimbare alături de câinele satului, Mircea (chiar așa îl chema) și am privit stelele. Mi-au trecut prin minte fel și fel de gânduri despre decizia proaspăt luată și mă întrebam de câte ori în viață, noi, ca oameni raționali și inteligenți, lăsăm sufletul deoparte? De câte ori îl ignorăm sau amânăm la nesfârșit ceea ce ne cere el? Avem un corp, avem o minte, avem un suflet. Până nu găsim un consens între cele trei, cel puțin una dintre ele cred că va avea de suferit, iar sănătatea lor și fericirea noastră încep cu ascultarea sufletului. Am realizat din nou, mai clar, ca cerul senin de noapte al muntelui, cât de liber am devenit, pentru prima oară; eram cu adevărat liber, cunoscând, de acolo înainte, limpede, etapele prin care tocmai trecusem. Venind pe drum înapoi, în liniștea lăsată peste sat, auzeam tot mai deslușit niște sunete de tobă, venite de undeva, de lângă foc, în compania veșnicelor tălăngi. Pe măsură ce mă apropiam, auzeam tot mai clar și vocile celor de pe lângă bucătărie, ba chiar am zărit și lanterne „mișcătoare" ale celor de pe lângă corturi.

Amestecatele suflete cu sunete și cu luminițe în noapte m-au făcut să simt o fericire pură, ca o regăsire și ca o predare în același timp, în fața naturii și vieții în toată splendoarea lor. Simțeam cumva că eu am devenit eu al meu.

O nouă surpriză

M-am apropiat de foc, unde, făcându-mi-se loc, m-am așezat pe o bancă. Din vorbă în vorbă, l-am cunoscut pe Dodo, care ajunse cumva, la un moment dat, lângă mine.

– Cu ce te ocupi? l-am întrebat direct.

– Cu nimic! a spus el, foarte senin, având fața luminată de către focul puternic.

– Cum cu nimic? l-am întrebat din nou, foarte mirat.

Mă și gândeam de câte și mai câte surprize voi mai avea parte, de acum, tocmai când credeam că am lămurit totul.

– Așa bine, cu nimic nu mă ocup! spuse din nou, foarte relaxat. Sunt doar de ajutor pe unde trec. Nu s-a lipit nicio meserie de mine, dar sunt de folos pe oriunde merg. Ajut cu plăcere, nu lucrez pentru bani.

Dodo purta o căciuliță cu „urechi", din aceea îmblănită. În cele două săptămâni din prima jumătate a lui septembrie nopțile deveniseră din ce în ce mai friguroase. Avea o bocceluță din piele cafenie, legată la cureaua-i groasă, de cioban, mai degrabă un fel de brâu. Curios fiind de interesantul personaj și de bocceluță, l-am întrebat din nou, indicând cu mâna către ea:

– Ce ai acolo?

– Bagă mâna în ea și scoate ceva pentru tine! mi-a răspuns, parcă bucuros, ca și cum ar fi așteptat întrebarea.

– Păi nu pot să aleg?

– Te va alege obiectul pe tine! mi-a răspuns Dodo zâmbitor și foarte sigur pe el, privind în continuare către foc.

A desfăcut cu o mișcare scurtă fundița care păzea gura săculețului, după care am băgat mâna în el, simțind imediat pietricele și o sticluță, apoi un fel de brățară. După ce am pipăit obiectele, am scos o pietricică rotundă. Dodo i-a invitat și pe ceilalți să scoată câte un mic obiect, ca un dar din partea lui sau chiar a altora pentru cei aflați acolo. Cineva a scos sticluța de dimensiunile unei nuci, conținând o licoare albastră, altul un colier cu pietricele, altul o piatră de ametist, altul o piatră de turcoaz și alții alte obiecte pe care n-am apucat să le zăresc. Eu am „fost ales" de cuarțul zăpezii, o piatră rotundă și albicioasă. Mi s-a spus că ajută la conectarea între spiritualitatea mea și univers.

Apoi, între oameni și foc, povestind și ascultând povești, m-a luat somnul. Am plecat la cort jucându-mă cu cuarțul zăpezii, încercând să înțeleg cum se face conectarea asta a spiritului cu măreția infinită a tot ceea ce există. Așa s-a sfârșit încă o zi. Minunat!

Corna

Într-o altă seară, am coborât la Corna, la casa care ținea loc de bază pentru comunitate, urmând ca a doua zi să iau autobuzul spre lumea orașului, având diverse treburi mărunte de rezolvat și bineînțeles ca să îmi aduc bocancii și alte lucruri utile șederii mele la munte pentru mai mult timp. Ajungând la „bază", am fost invitat să vizitez camerele aranjate simplu și cochet de către Maia și Dorica, apoi micuța bucătărie, foarte călduroasă și prietenoasă, în al cărei colț se afla o chitară. Mi s-a făcut imediat dor de cântecele de lângă focurile din ultimele seri petrecute sus, în Țarina, de statul la povești în teepee, de tobe, de didgeridoo, de hangul pe care una dintre fete, cu multă delicatețe, îl făcea să sune. Pesemne că locul acela de la altitudine și oamenii de acolo m-au legat foarte puternic de ei.

Maia a adus apă într-un vas din sticlă de culoare gălbuie, apoi ne-am așezat în jurul ei pentru ceremonia apei. Am închis ochii și ne-am rugat preț de câteva minute, pentru ca apa să ducă iubire peste tot în lume și pentru lume în general. Apoi am băut din apă și ne-am pus pe povestit până noaptea târziu.

Intrasem și eu cumva în acest ritual al lor și simțeam că era o treabă bună. Un fel de etapă de tranziție între viața mea trăită în goana la oraș și viața nouă și calmă pe care tocmai o descoperisem.

Din nou spre Hunedoara

În zori, am pornit spre orășelul aflat la câțiva kilometri. După ce am savurat o cafea, la același bar, pe terasa căruia m-am așezat când am ajuns pentru prima oară în Abrud, punctul de așteptare ba al celor care veneau să „te culeagă", ba al autobuzului, am urcat iar în „cursa" care venea de la Câmpeni și urma să mă ducă la Deva. Am stat mai tot drumul cu fruntea lipită de geam, privind casele satelor prin care treceam și încercam să-mi conturez cumva în minte viitorul proaspăt mutat de pe linia previzibilă.

Ajungând în Deva, am căutat microbuzul către Hunedoara. Hunedoara este locul în care am ajuns cu vreo zece ani în urmă și care mi-a devenit casă, pe lângă Londra, Timișoara și Săvârșin. În acel ultim microbuz schimbat până la destinație, m-am rupt de zilele magice, de spiriduși și de liniștea muntelui, aterizând drept în vâltorea obișnuită de la oraș, atunci când șoferul a început să înjure pe un ton grav manevrele unui alt șofer al unei mașini din fața noastră, făcând și niște mișcări bruște din cauza nervilor ce-l apucaseră ca din senin. Privind și simțind acestea, mă gândeam la cât de urâtă putea fi ziua acelui individ, la cât de obositoare și-o făcea el singur. Meritau nervii aceia și toată agitația revărsată peste toți călătorii pentru că o mașină rula în fața noastră cu viteză mică?

Nu după mult timp, printre blocuri, stații și gânduri, am ajuns la destinație. Hunedoara e un oraș liniștit și destul de verde, de asta îmi place atât de mult. În următoarele ore am rezolvat tot felul de treburi, apoi m-am întâlnit cu prieteni, cărora le-am povestit tare mândru, dar ca venit de pe altă planetă, experiențele petrecute la munte.

Am rămas pentru următoarele câteva zile în oraș, din cauza mai multor treburi restante și care nu puteau fi amânate prea mult, plus pentru pregătirea plecării mele înapoi, o treabă foarte importantă care necesita atenție.

Casa cu lac

În acele zile, vorbind prin telefon cu cei de la munte, am aflat că au găsit o casă bună de închiriat, acolo, sus în sat, dar nu orice casă, ci una cu lac în livadă! Spuneau că au aflat de existența unor pești de peste trei kilograme în „baltă", iar asta însemna că peticul de apă nu putea fi prea mic. M-am înseninat și, în scurt timp, am împrumutat o mașină ca să urc și să văd despre ce era vorba, urmând ca apoi să mă reîntorc, în aceeași zi, în Hunedoara, și să urc din nou când voi fi fost pregătit pentru mutare.

Am urcat în mașină și am pornit la drum. Din nou, Hunedoara, Deva, Brad, Abrud, apoi Corna, cu oprire la Maia, care se afla acolo, și pe care am luat-o prin surprindere. Am rămas preț de o cafea în bucătăria mică și primitoare, cu chitara în colțul dintre geamuri, cu focul care trosnea în sobă. Am mâncat câteva boabe de strugure, apoi am luat-o și pe ea până în Țarina, ca să vedem cu toții acea casă și să hotărâm împreună ceea ce era de făcut de atunci înainte, ca o comunitate nou mărită, pentru că deja eram și eu parte din grupul lor.

Pe bancheta din spate aveam un platou cu prăjituri pentru ei, ca să aflu mai apoi că tocmai era ziua de naștere a unuia dintre cei de sus, Paghe, un tânăr care cânta muzică bisericească într-un mare fel. Am stat vreo oră la povești în bucătăria unei case din munte, de sus, din Țarina, timp în care am decis diverse despre viitorul apropiat, apoi ne-am dus cu toții să vedem casa surpriză.

Am luat-o spre izvor, apoi pe un drum care ducea spre vale, spre Roșia, drum pe care eu nu mai trecusem până atunci. Am mers cam cinci sute de metri, lăsând în urmă un alt izvor, case goale, șuri și livezi. În dreptul unei porți mari și late din lemn, Paghe ne-a făcut semn să intrăm. Iarba era destul de înaltă și udă în acea zi de toamnă, după ce ninsese puțin, pe timp de soare, cât am stat sus, în bucătărie.

Am trecut pe lângă o colibă plină cu fân, după care se întindea spre casă o „chiuvetă" din lemn, lungă de peste trei metri, un vălău din care, în mod normal, înainte vreme, erau adăpate vacile. Am pornit apa învârtind ușor robinetul înțepenit, aflând de la Petru, care a aflat și el de la vecinii casei, că apa venea prin cădere de la un izvor care trebuia curățat. Mai târziu, am descoperit mai multe izvoare conectate între ele, care trimiteau apa jos, la acel robinet, printr-o țeavă îngropată pe undeva în pământ. A început să curgă din acea țeavă încovoiată o apă neagră, ca uleiul ars de motor. După o vreme, s-a mai „spălat" și a devenit tot mai limpede.

Acum știu din experiență că apele mai vin și tulburi după ploi, dacă izvorul permite infiltrarea unor mici pâraie care își fac loc pe unde pot și ele să înainteze spre vale. Oricum, bună instalație, mi-am zis, fară să trebuiască să plătești pentru apă și să îți și vină apă vie până în curte, direct din munte.

Pe cealaltă parte a potecii către casă am găsit o șură mare. Asta m-a bucurat mult, pentru că îmi plac foarte tare șurile. Un vis mai vechi al meu este să construiesc la un moment dat bucătăria și sufrageria, poate și un birou, într-o șură, mai ales că am văzut cu ochii mei așa ceva și știu ce minunăție poate să iasă dintr-o asemenea construcție, din acele bârne din lemn pe tavanul camerelor. Din păcate, bucuria mea a ținut puțin, aflând imediat că până în primăvară cineva își ținea animalele acolo, astfel încât nu putea fi modificată și locuită.

Chiar și din primăvară, am realizat repede că o casă închiriată nu poate fi modificată astfel, dar îmi ajungea să o știu acolo, să o văd, să îmi hrănească visul, urmând să-l aduc la realitate mai târziu, în altă parte.

Am coborât spre poarta unui gard ce-mi ajungea până la umeri, dincolo de care se aflau de fapt două case despărțite de câțiva pași. Prima dintre ele, având niște scări acoperite, era formată dintr-o cameră în care intrai prin stânga holului, o baie cu cadă în față (ceea ce însemna că apa din curte era trasă și în casă) și o bucătărie pe dreapta, cu cămară cu tot. Atât, dar era suficient; un fel de apartament la țară. Arăta destul de bine, deși nu mai fusese locuită de ani buni. Trebuia doar zugrăvită, ca să reîmprospătăm aerul și, desigur, să reparăm geamurile și ușile care fie se închideau doar forțat, fie nu se închideau suficient de bine.

Cealaltă casă, aflată la câțiva pași de prima, parcă ne chema să o vedem și pe ea. Am călcat repede aleea betonată și apoi, cu mici sărituri, am trecut peste câteva trepte. Pe scurtul drum am găsit niște bucăți de țiglă căzute și sparte, ceea ce ne-a făcut să privim acoperișul, care părea să aștepte atenție și cosmetizare. Am intrat în casa mare, în coridor, din care, pe dreapta se făcea accesul într-o cameră destul de mică, dar cu teracotă, cameră pe care mai apoi am ales-o pentru a-mi deveni dormitor. În față era o scară solidă către pod, iar în stânga ei ușa către o altă cameră mare și luminoasă, cu teracotă și ea, din care se intra într-alta asemănătoare, dar fără sobă. M-a bucurat faptul că am găsit sobele de teracotă în două dintre camere, mai puțin în ultima, ceea ce nu era prea grav. Cele două camere fiind lipite, ușa dintre ele putea fi lăsată deschisă pentru transfer de căldură în caz de nevoie.

Aleea betonată pe care am venit se întindea și cobora până în fața casei mari, loc în care găsisem două uși late și joase, una dintre ele având gratii, cea de la cămară. Cealaltă făcea intrarea în bucătărie, unde era nevoie de curățenie temeinică, restul casei fiind primitoare. Aici, printre pânze de păianjen se zărea locul gol, unde mai demult cu siguranță ședea o sobă de gătit, de aveam absolută nevoie, pentru că iarna, la munte mai ales, este utilă și pentru a da căldură.

Lângă locul de sobă am găsit o masă, un dulap de bucătărie și alte lucruri utile pe la casa omului. De acolo, prin gradină, am urcat ceva mai sus de nivelul vârfului acoperișului casei, care rămăsese în urma noastră, undeva mai la vale, dar nu departe. În sfârșit am găsit splendoarea locului, lacul! Da, lacul casei! Un ochi de apă limpede, oval și mare, de lângă care se puteau zări munții din vecinătate în toată măreția lor.

– Asta e! mi-am zis. E perfect!

După o vreme de ședere și contemplare, ne-am întors făcând planuri ce includeau reparații și construcții de mobilă, lemne de foc și mutarea Marei, o altă fată care își dorea să rămână cu Ariciuca, fiica ei, în casa cea mică. Planul perfect, mi-am spus. O să fim mulți, ca într-o mare familie, ceea ce e bine. În Londra am locuit destulă vreme cu alți oameni, împărțind spațiile comune. De ce n-aș fi făcut-o și în locul acela minunat, unde tocmai alesesem să trăim împreună pentru o bucată de vreme? E chiar drăguț să gătești alături de prieteni, să mănânci împreună cu ei, să muncești împreună cu ei și să te distrezi împreună cu ei. A, ca să nu uit, la munte se fac și chefuri. Partea bună e aceea că dimineața poți să dormi după bunul plac chiar pe iarbă sau în fân, iar asta se poate întâmpla și într-o miercuri seară, nu musai sâmbăta.

Cam asta a fost totul, pentru moment; am pornit apoi spre oraș, unde aveam acum și altele, în plus, de rezolvat decât înainte de a vedea casa, trebuind să îmi pregătesc și mai multe lucruri pentru mutarea cu totul la munte. Aveam nevoie, de acum, de lucruri diverse, de-ale caselor, de la furculițe și cuțite, până la pat și cât de multe scule. De toate acestea a fost ușor să mă ocup, dar se cereau a fi fost rezolvate în scurt timp. Mai trebuia să găsesc o mașină mare cu care să le transport. În plus, așteptam lucrurile mele din Londra, care mi-au fost trimise mai târziu prin cineva. Pe scurt, am rezolvat totul repede, după care m-am întors și m-am mutat, pentru prima dată, oficial, la munte, în chirie.

Am zugrăvit și mi-am aranjat toate lucrurile ca pentru vreme lungă, am adus internet, am avut musafiri, dar am locuit acolo doar pentru următoarele trei-patru săptămâni. Micile treburi de pe lângă casă și vizitele dintre noi cei de acolo și ale altor prieteni au făcut ca acel timp să treacă foarte repede. Cântecele cu chitare și tobe, poveștile la foc, gătitul, plimbările, vizitatorii și simplitatea vieții au constituit un bun start pentru lungul drum pe care am pornit.

Deși era bine și așa, pe zi ce trecea am început să îmi doresc o casă a mea, în care să pot eu modifica orice și pe care să o aranjez după bunul plac. Și am găsit-o mai devreme decât am plănuit, ca și cum pe toate le-ar fi aranjat cineva pentru mine, încă de la început, de când prindeam la momentul potrivit fiecare autobuz, fără să fi fost nevoie să aștept după vreunul în drumul către munte.

4
Mutat cu acte

Alegerea casei

Deși nu îndeplinea întru totul cerințele mele, mai ales pe cele de acum, visul de a avea o casă la țară mă învelea cu dor și mă chema puternic. Criteriile mele de a alege casa, după care am ales mai târziu o alta potrivită, de unde scriu acum, sunt acestea: să fie mare și cu beci, preferabil din lemn și piatră, cu șură, teren de cel puțin un hectar, cu izvor pe teren – preferabil mai sus decât nivelul casei și „să nu-i înțerce izvorul", cu vecini buni ai căror case să fie la cel puțin o sută de metri distanță de a mea, să existe livadă, acces pentru mașină mică, să fie poziționată la capătul satului, lângă pădure, amplasată pe versant cu soare, peisajul interesant, prețul accesibil, iar terenul să nu se afle în zonă inundabilă, ori cu alunecări de teren sau în vecinătatea unor locuri în care se practică defrișări masive.

De ce să existe un beci? Iarna e evident nevoie de un spațiu pentru depozitarea mâncării și a pălincii. De ce din lemn și piatră? Pentru că e naturală, respiră, arată bine, iar dacă materialele sunt în stare bună și construcția bine făcută de la început, rezistă o grămadă de vreme. De ce șură? Pentru că șura este o clădire mare și greu de realizat, unde pot fi desfășurate diverse activități, desigur în urma consolidării și modificării ei, ori transformată în construcție de locuit. De ce să fie cel puțin un hectar de teren? Pentru că mai apoi, dacă va fi nevoie de mai mult teren, vecinii s-ar putea să nu dorească să vândă. Dacă îl ai de la început e acolo și gata, iar prețul nu diferă mult de la 5000 mp la 10000 mp în satele de munte. De ce izvor pe teren? Nu-mi doresc să trăiesc într-o casă pe al cărei teren nu există apă și nu mă refer doar la zonele fără rețea de apă potabilă. De ce vecinii departe? Vorba unor prieteni, decât cu unii vecini aproape, mai bine fără vecini. Nu se știe unde nimerești, iar dacă nu alegi bine, s-ar putea să nu ai parte de liniștea pe care o cauți la țară. De ce la capătul satului? Pentru minunatele plimbări pe potecile pădurii care începe imediat după gardul casei, nefiind nevoie să traversezi satul. Cât despre riscul de a fi mâncat de un urs, el este mult redus în fața riscului de a fi lovit de o mașină sau de a primi o sticlă în cap de la vreun bețiv pe străzile aglomerate ale orașului.

Dacă ești în căutarea unei case la munte, poți ține cont și de următoarele aspecte:

– La munte e mai multă umiditate. Dacă nu vezi soarele, atunci vei vedea doctorul. Plantele au și ele nevoie de lumină.

– Află din ce sursă vine apa și fă-i un test. Mulți au descoperit, după ce au cumpărat casa, fie că nu au apă bună de băut, fie că nu au destulă apă.

– Proprietatea să nu fie aproape de antene și relee de telefonie mobilă sau alte semnale.

– Dacă alegi un teren gol pentru a-ți construi casa pe el, ține minte că, deși poate găsești acolo apă, garduri și stâlpi de curent, dar n-ai un coteț, n-ai o șură, n-ai unde pune un lemn, o drujbă. Cred că e mai bine să cauți o casă ieftină, veche, cu acareturi și șură, apoi construiești ceea ce vrei oricum să construiești, repari ceea ce vrei să păstrezi și dărâmi ceea ce nu-ți mai folosește.

Prima casă

După ce am decis să rămân și m-am mutat în casa cu lac, am început să-mi caut o casă, absolut convins fiind atunci că acel proces va dura multă vreme, dar în câteva săptămâni am și găsit-o pe internet. După o vreme, am descoperit că asta se întâmplă mai rar, să găsești întâmplător și repede casa pe care o cauți. Undeva, înapoi spre Deva, într-un sat mic, Peștera, comuna Vălișoara, pe o vale al cărei drum părea a duce doar în pădure, mă aștepta, draga de ea, după mulți ani de singurătate. Am sunat proprietarul, am stabilit locul de întâlnire și am pornit la drum.

Era într-o duminică senină și caldă de toamnă. Am părăsit drumul dintre Brad și Deva pentru unul strâmt și plin de serpentine, după alți doi kilometri am lăsat în urmă asfaltul pentru două linii de pământ prin iarbă și credeam că m-am rătăcit pe lângă vale, pentru că drumul părea a fi fost unul mai degrabă forestier decât unul sătesc, dar după vreo cinci sute de metri s-a deschis valea și am găsit un loc neașteptat de frumos, un cartier al satului Peștera, numit „Pă vale". Unchiul proprietarului mă aștepta lângă casă, el venit dintr-o alta în care locuia ceva mai jos, tot pe acolo. Ne-am salutat, apoi am intrat în curte, nerăbdător. Am găsit o casă din piatră și lemn acoperit cu lut, având trei camere cu tavane din lemn și geamuri mici vopsite în verde, despărțite de un târnaț mare, cu vedere spre o curte largă dincolo de care, peste o mică vale, se afla pădurea. Era mai mare și mai frumoasă decât mi-am imaginat-o din cele câteva poze nu foarte clare postate pe internet și se afla într-o stare excelentă. Am și desfăcut puțin pământ în două dintre colțurile ei ca să mă asigur că lemnul care construia scheletul de structură era neatins de carii sau umezeală. Aproape lipită de casă, se afla o fostă bucătărie de vară cu șopru și niște cotețe mici, care mai târziu a devenit căsuța de vară, după ce i-am desfăcut doi pereți dinspre pădure, transformând-o într-un fel de terasă pentru stat dimineața la cafea și seara la bere. Apoi, la vreo cincisprezece metri distanță de casă se afla șura, al cărei grajd a devenit bucătărie, cu un geam către casă, iar altul către pădure, deasupra chiuvetei, care părea a fi un televizor pus definitiv pe un program despre natură, mai ales când vecinul cioban trecea cu oile prin grădină, către pădure. Terenul de cinci mii de metri pătrați găzduia o micuță livadă de pruni, un măr mare și frumos, pe al cărui ram am atârnat un leagăn, la cererea copilului unui prieten aflat în vizită vara ce urma să vină.

Casa era nelocuită de peste zece ani. Era tare frumoasă. Am negociat prin telefon prețul cu proprietarul, apoi am plecat la Hunedoara, dacă tot am coborât de pe munte, urmând ca omul să mă sune a doua zi dimineață, pe la ora zece, ca să-mi spună dacă acceptă sau nu oferta mea, după o discuție cu familia.

În acea seară abia am reușit să adorm din cauza planurilor pentru casă, gânduri care îmi umpluseră inima de bucurie. Eram sigur că o voi cumpăra, indiferent de răspunsul lor, pentru că puteam da și prețul cerut de ei, adică 8500 de euro, eu oferindu-le 7500, chiar dacă știam în mare cam ce mă aștepta acolo referitor la cheltuieli. Deși casa se afla în stare bună, necesita foarte multă muncă pentru a o aduce la nivelul unei case de locuit, începând cu fântâna murdară și instalația electrică, până la baie și garduri.

Dimineață sună telefonul ceva mai devreme de ora stabilită. Acceptaseră oferta mea. Din prea multă bucurie, pentru că se întâmpla un lucru foarte mare pentru mine, am pornit și ajuns repede la proprietar, i-am dat cinci sute de euro în avans, am făcut un contract „de mână”, urmând să facem actele la notar peste câteva zile. Am luat cheia și am plecat către Țarina, ca să-i anunț pe cei de acolo despre ce urma să fac, deși ei știau deja că îmi căutam o casă, dar nimeni nu bănuia că o voi găsi atât de repede.

Mutat la țară, acasă

Val-vârtej m-am mutat, mai repede decât crezusem. În câteva zile erau aduse acolo lucrurile de la Țarina, apoi cu un minibus mobila, sculele și tot ce mai aveam prin beciuri la Hunedoara.

Dormeam în camera mare, între cutii pline cu cărți, haine, și diverse lucruri. Abia puteam trece de la pat spre ușă de geamantane, cratițe și tot felul de lucruri mărunte.

Am început să muncesc din prima zi acolo, vreme de 8-9 luni de zile, începând cu instalarea unui spălător și a unui lighean folosit pe post de chiuvetă și continuând cu spălarea fântânii, montarea unui hidrofor, improvizarea unui duș, apoi cu construcția a trei hornuri, paturi, panou electric nou și instalație electrică nouă, vopsit uși, reparat ferestre, iar înșiruirea aceasta este departe de a fi una exhaustivă. Iată că din lumea spiridușilor de la Țarina am ajuns în lumea materialelor de construcții și a sculelor.

Au început să vină tot mai mulți prieteni în vizite lungi sau scurte, ca ajutoare. Nu țin minte să fi avut vreodată trei zile legate de singurătate acolo. Într-o vizită de două zile într-un sat din Timiș, pe atunci la o viitoare prietenă dragă, am aflat despre niște website-uri prin care puteam aduce voluntari care să mă ajute, iar eu, mi s-a spus, trebuia să le ofer de mâncare și cazare. Mai târziu am aflat că nu era atât de simplu cum părea atunci, dar m-am înscris acolo imediat ca gazdă.

Între timp au început să apară vecinii. Curioși fiind de „ciudatul" care s-a mutat la țară, veneau rând pe rând, găsind fel și fel de motive pentru a interacționa cu mine. Mai apoi am ajuns să fiu des invitat la masă. Treceam drumul sau gardul din pietre al grădinii aproape zilnic unii la alții preț de-o cafea sau de-o ciorbă. Uneori, primeam telefon și mi se spunea că e masa pusă și nu încep fără mine.

Doamne, ce sarmale, ce supe de pui, ce vinete cu maioneză, ce mămăligă cu straturi de brânză proaspătă și băiță de smântână de casă, ce de chiftele, ce tocănițe la ceaun, făcute toate pe sobe vechi, crăpate și afumate, ce pâine caldă din cuptor, ce murături, ce prăjituri, langoși și gogoși, ce pălincă... of, și câte și mai câte, toate un fel de somnifere. Astfel de mese copioase și sățioase nu pot fi urmate decât de un somn dulce de după-masă, mai drag pe-o pătură-n livadă, între pruni.

Acolo, la prima casă, am învățat multe, multe, multe despre viața la țară. Am găzduit vreo două sute de oameni în timpul petrecut la Peștera, iar locul acela a fost un fel de tampon între viața de la oraș și ceea ce avea să urmeze, adică ceea ce trăiesc acum.

Detalii practice

Ca să intru puțin în partea practică, dacă vrei să găsești o casă asemănătoare cu cea descrisă mai sus, e nevoie să pornești la drum, acum! Pe internet găsești tot felul de oferte, dar niciodată nu vei afla detalii importante decât atunci când vei ajunge să le treci pragul, de aceea ar fi mai bine o iei la pas prin zone care probabil te cheamă deja. La barurile satelor e cel mai ușor să afli ce se vinde în zonă, astfel ai șansa să găsești negreșit câteva și să poți alege.

Există multe case care nu sunt trecute în acte pe numele celor care doresc să le vândă, însă asta se poate rezolva, dar necesită timp, undeva între șase luni și doi ani de zile, dacă actele nu există deloc. Dacă e vorba de o succesiune, se poate rezolva foarte repede. După ce primești certificatul de proprietar, nu ai decât să te înregistrezi la primăria de care ține satul în care ai cumpărat casa, apoi să treci pe numele tău contractul cu compania care livrează energie electrică, după caz internet, gaz etc.. Dacă nu există acte încă, poți cere proprietarului să semnați un precontract la notar, iar el mai apoi va intra într-un proces de uzucapiune, care nu este atât de complicat pe cât pare. Bani să ai!

Majoritatea caselor vechi din satele de munte, pentru că despre ele am cunoștință, nu au hornuri construite, ci doar găuri în tavane către pod, unde niște tuburi din tablă duceau sau duc fumul de la sobele care poate mai există încă. Construcția unei sobe nu este pe atât de grea pe cât pare (eu am construit trei în casa în care locuiesc acum, din cauză că n-am găsit pe cineva care să mi le construiască, aflându-mă într-un cătun destul de izolat), dar fără minime cunoștințe pe această temă și fără puțină îndemânare nu îți recomand să te apuci de așa ceva. În primul rând, este bine ca suportul pentru sobă să fie din beton. Chiar dacă o casă din lemn are uneori podele peste beci, pentru că fundația din piatră este mult mai lată decât peretele casei și pentru că grinzile sunt în general foarte masive și trainice, se poate cofra și turna o placă cu fier beton, pe care să fie construită soba. Există pe internet sau în cărți tot felul de sfaturi pentru construcție.

Sursa de apă trebuie musai curățată. În cazul unei fântâni nefolosite de multă vreme, cineva va trebui să coboare în ea ca să o curețe după ce scoate toată apa cu o pompă. Uneori găsești animale moarte sau diverse mizerii pe fundul unei fântâni. Nu oricine are curajul să coboare acolo. Toate cele vechi sunt construite din piatră, existând posibilitatea surpării lor peste omul aflat înăuntru; din acest motiv o scurtă și simplă curățare a ei costă mult, dacă e adâncă. După ce fântâna este curățată, se scoate apa murdară de multe ori, apoi se aruncă în cea care revine acolo piatră de var nestins și un bulgăraș de sare. Astfel, bacteriile sau paraziții nu mai pot trăi acolo, iar apa devine potabilă. Oricum, este necesar să faci un test de laborator, chimic și bacteriologic, al apei, ca să știi ce bei.

În cazul unui izvor, e bine să fie săpată o groapă suficient de mare încât să poată fi construit acolo un bazin din lemn sau ciment pentru colectarea apei, apoi, prin cădere sau cu ajutorul unei pompe, aceasta poate fi trimisă printr-o țeavă din plastic către casă, îngropată la o adâncime suficient de mare pentru a nu îngheța iarna. În cazul înghețului, poți rămâne fără apă în casă și pentru luni de zile, până când primăvara va „dezmorți" pământul.

Distracții

Serile în jurul focului, cântecele și poveștile de la Peștera au continuat cumva zilele frumoase trăite la Țarina. Când eram prea mulți, vorbeam pe rând, cu ajutorul sceptrului magic despre care am povestit mai devreme. Plimbările pe dealuri, joaca cu câinii, tentativele de grădinărit, dar și munca, au făcut ca șederea mea acolo să fie una memorabilă.

Ne bucurăm de ceea ce este simplu, – mare lucru! Unii cumpără grătare și aparate de gătit foarte scumpe, apoi carne ieftină de la reduceri. Noi găteam pe un grilaj vechi, montat pe niște cărămizi, dar mereu făceam mâncare bună.

Iarna

Iarna a fost una aspră și lungă. Pe mulți i-au luat prin surprindere temperaturile de -25 de grade, precum și cât de mult a durat gerul. Un prieten îmi amintea zilele trecute despre cum veneam în acea iarnă spre casă, legat de mijloc cu o coardă groasă, al cărei capăt stătea strâns într-un ochi pe lemnele proaspăt tăiate, prin livada de la marginea pădurii, trăgându-le din greu prin zăpada ce-mi acoperea bocancii atunci când îmi afundam picioarele, pășind adânc. Într-o mână țineam drujba, iar în cealaltă bidonul de benzină și eram îmbrăcat cu o grămadă de haine, din cap până în picioare. De la depărtare, arătam ca un vânător de urși din Svalbard sau Siberia, trăgând namila după mine.

5
GÂNDURI PE POTECĂ

CONŞTIENTIZARE

După ce am schimbat mai multe locuri de muncă și tot felul de afaceri, peste toate celelalte experiențe trăite, am rămas cu multe lecții învățate și o mare convingere: mereu am ajuns la mai bine! Toate s-au rezolvat ca și cum cineva, acolo sus, mult mai sus de Țarina, are grijă de mine. Atunci când am lăsat loc, am plecat găsind altceva mai bun. Atunci când mi-a fost teamă de schimbare și n-am îndrăznit, am asistat pasiv la trecerea vremii, rămânând ca un neajutorat, în locul din care, în sufletul meu, voiam să plec. Cu timpul, am învățat că toate se rezolvă și se aliniază, dacă am curaj, înțelepciune și răbdare. Iar întoarcerea la sat, la simplitate, la vremurile copilăriei, la timp liber, a fost și este cea mai minunată experientă pentru mine, dintre toate cele prin care am trecut până acum, ca om matur.

Am început să realizez, încă pe când mă aflam în Londra, cât de rupt am fost de fapt de natura din care am venit și de sufletul meu în ultimii cincisprezece ani petrecuți prin orașe, alegând doar din prisma minții și logicii, și, desigur, a sfaturilor celor dragi. Am făcut școli, am devenit profesor, am devenit șef, am devenit patron, am făcut și bani destui, am tot crescut, din mai multe puncte de vedere.

Astfel, rămânerea mea în mijlocul naturii, nu știu pentru cât timp, dar sigur pentru o vreme lungă sau pentru totdeauna, a fost o chemare mai de demult. Însă pe vremea aceea, de câte ori îmi zvâcnea inima către acest stil de viață, încuiam repede gândul într-o cutie a minții și o lăsam acolo să bată, că doar de asta credeam că e inima, să bată și atât.

Acum, cu picioarele goale în iarba udă a dimineții, care crește în cântece de păsărele, privesc muntele de peste vale și cerul senin de peste el și înțeleg că logica minții nu funcționează pe aceeași frecvență cu logica inimii tot timpul, însă cred că aici, în acest loc minunat din Apuseni, le-am aliniat. O persoană foarte dragă chiar îmi spunea că mie mi se întâmplă repede tot ceea ce îmi doresc și da, dacă privesc în urmă, cam așa a fost tot timpul, dar cred că asta se datorează faptului că am făcut mereu pași către visurile mele și n-am stat să aștept să cadă ceva din cer sau ca cineva să vină să îmi rezolve problemele. Iar acum, descoperind posibilitatea de a-mi asculta sufletul, am trecut la un nivel superior (din punctul meu de vedere) de conștiință și trai, chiar și aici, într-un cătun de munte.

Amintire din Londra

Îmi amintesc că, în Londra, odată, mergeam pe străzile nopții, călcând cu pantofii mei negri și lucioși prin veșnicele petice de apă. Plouase și era frig. Vântul aducea cu el de pe te miri unde bucăți de ziare sau frunze ce păreau că și-au terminat rostul, pentru că noaptea nu lasă culorile să dea viață toamnei. Veneam de la un concert susținut într-un loc select, altfel n-aș fi purtat acei pantofi.

Era târziu și, dârdâind de frig, mă îndreptam cu trupul și gândul spre casa caldă. M-am oprit brusc lângă o cerșetoare, văzând-o cum ședea pe marginea trotuarului. Atât de murdară era pe mâini, de parcă ar fi scormonit în mocirlă. I le-am văzut clar, în lumina unui felinar, atunci când le-a ridicat pe amândouă către bănuții pe care i-am găsit repede în buzunar și i-am întins spre ea. Apoi, i-am văzut și chipul. Era atât de frumoasă, de parcă juca chiar atunci într-un film un rol de cerșetoare, iar eu am intrat din greșeală în cadru, neștiind că acolo tocmai se turna un film. A cuprins monedele în palme ca pe ceva sfânt sau ca pe un fulg de păpădie, tot așa cum ridici la piept, cu grijă, un pui de găină sau o inimă imaginară.

Era atâta liniște, ca și cum timpul s-ar fi oprit. Nu ne-am spus nimic, dar ne-am înțeles unul pe celălalt din priviri. Plecând mai departe, am început să-mi simt mâinile ca fiind mai murdare decât ale ei și mă întrebam ce-am făcut eu ca să am mai mult de la viața asta? M-am grăbit acasă, aproape în fugă, ca să mă spăl, dar asta nu se duce. Suntem toți pătați. Suntem la fel, dar nu suntem.

Aici, unde mă aflu acum, asta nu se întâmplă. Aici ușile sunt deschise, oamenii sunt prietenoși și nu se judecă unii pe alții după noroiul de pe cizme. Imaginează-ți că nu ar exista orașe, drumuri, lumini, avioane, mașini, oameni. Iar tu te-ai trezi undeva, pe o vale sau un vârf de munte. Măreția lumii ți s-ar oglindi în ochi, iar tu vei fi mai mult decât ea după ce o vei înțelege, căci fără tine n-ar exista măreție.

Atât de mult încercam să controlez viața mea și, într-o oarecare măsură, am reușit, dar nu pe deplin. Acum, aici parcă o controlează altcineva sau altceva, tot așa cum inima bate cum vrea, fără să-i spun eu ce să facă, când și cum să bată. Lucrurile se schimbă. Acum nu mai ești cine erai în urmă cu zece ani. Acum nu mai gândești cum gândeai în urmă cu zece ani. Peste zece ani vei fi altul, vei gândi altfel. Eu nu mai sunt cel care eram. Dă-ți voie să faci schimbări pentru suflet, să încerci, să te joci. Amânăm mereu lucruri, dar poate că peste o vreme nu vom dori să le mai facem, chiar dacă „atunci va fi mai mult timp pentru ele".

O LUME NOUĂ PENTRU SUFLET

Un preot, care are acces la arhive de exorcizare vechi de peste opt sute de ani, în care stă scris ce s-a găsit, cum s-a acționat, ce funcționează și ce nu, a fost întrebat într-o zi de un prieten de-al lui, care e prieten și cu mine:

– Am citit într-o carte veche cum că Dumnezeu ne iartă dacă și noi ne iertăm pe noi înșine. Ce spui despre asta?

– Așa este, a răspuns preotul.

– Atunci, de ce trebuie să mai vin să mă spovedesc?

– Din două motive! Unul este acela că și de te ierți singur și te iartă și Dumnezeu, există o mare șansă să repeți păcatul, iar celălalt este că urma păcatului trebuie ștearsă, iar asta se face prin spovedanie, rugăciune și post. Urma păcatului este cea care face rău, uneori nu păcatul în sine este atât de grav, ci gândul. Acela trebuie spălat, nu ajunge iertarea.

– Așadar, ca să mă curăț de trecut! se lămuri prietenul meu.

Din această scurtă discuție ce mi-a fost relatată într-o vară, am înțeles, știind că greșim cu toții în timpul curgerii noastre prin viață, că avem nevoie de momente de liniște, de regăsire, de împăcare, dar avem nevoie și de oameni rupți de viața cotidiană, cu care să mai vorbim măcar din când în când. Asta nu se poate face într-o lume agitată și grăbită, ci în liniște. Apoi, gândurile, asemenea unui bagaj foarte greu, cărat în spinare, nu fac rău dacă sunt păstrate pentru vreme scurtă, dar, după ani întregi de cărat acel bagaj greoi, putem cădea de durere și oboseală. Ce să mai vorbim de zeci de ani...

Alegerea de a experimenta lucruri noi, locuri noi, de a cunoaște și de a înțelege oameni diverși și stiluri de viață diferite este o decizie pe care simți să o iei de unul singur. Punctul în care decizi să faci asta este decisiv. Ai un bagaj de cunoștințe pe care le-ai dobândit până să ajungi acolo, dar nu știi ce va urma. Aceasta este adevărata provocare. Dacă din acel punct, însă, te întorci la ceea ce cunoști deja, la vechii prieteni, la locurile știute, la stiluri de viață comune, nu vei mai acumula alte cunoștințe. Dacă te întorci la drumul tău inițial și alegi să rămâi blocat pe el, poți considera, din mai multe puncte de vedere, că viața ți s-a cam încheiat înainte de vreme.

Nu este destul să citești despre plantarea unei flori, dacă nu sădești acea sămânță cu mâna ta, apoi să o vezi crescând. Nu este destul să vezi poze cu munții, dacă nu ajungi acolo și nu tragi aerul lor curat și rece în piept. Nu e destul să îți povestesc despre susurul apei de izvor, despre gustul și puritatea apei, daca nu vii să o guști și tu. Existența în sine este ceva atât de mare și de complex, încât, dacă nu te-ai bucura de viață și de bogăția lumii și nu ai folosi-o la adevăratul ei potențial, ai minimiza întrega măreție a Universului. Iar adevăratul potențial nu se referă doar la a lăsa ceva real în urma trecerii tale prin viață și lume, ci și la descoperirea de sine și la descoperirea lumii așa cum este ea. Dinozaurii s-au concentrat numai pe hrană și reproducere și iată că au dispărut. Dacă nimeni n-ar căuta și n-ar încerca să vadă toată imaginea a ceea ce suntem și ceea ce ne înconjoară, n-am putea supraviețui în afara sclaviei, a violențelor și legilor altora. Pentru a putea trăi în pace și egalitate, e nevoie să gândim limpede. Iar creșterea se face de la bob, de la sâmbure, de la simplu la complex.

Ce spun alții

În acea scurtă perioadă de renunțare și schimbare, la începutul vieții mele la sat, m-am lovit de reacții ale familiei, prietenilor, colegilor de muncă. Pentru că ți se pare normal și unic ca variantă validă ceea ce cunoști deja, ceea ce vezi că fac alții sau ceea ce ai fost educat să faci. Dar atunci când o persoană din anturajul tău acționează diferit de ceea ce tu cunoști sau, mai mult, chiar acționează în afara întregului sistem familiar ție și pe al cărui legi ți-ai clădit întreaga existență, ți se poate părea greșit și probabil vei încerca să o protejezi, crezând că a ales să urmeze o cale greșită, ori, cel puțin, una care o va duce, din punctul tău de vedere, spre un loc întunecat.

Ceea ce poate că nu gândești este asta: cu toții ne îndreptăm spre bătrânețe și moarte! Acesta este mersul firesc al lucrurilor. Într-o zi, acel moment va veni, pentru unii mai târziu, iar pentru alții mai devreme. Privind din această perspectivă, în acest punct al vieții mele, mi se pare total greșit să aleg un drum al supraviețuirii până la moarte, îmbrățișând sistemul, care poate fi comparat cu niște parapeți care te ghidează către final, iar cu ajutorul lui ești sigur că vei ajunge, mai mult sau mai puțin în siguranță, la moarte.

Așadar, vrei să ajungi în siguranță la moarte? Vorba lui Tolstoi, ajungi la balaur. Cred cu tărie că e minunat să trăiești cu adevărat până la final oferindu-ți experiențe, sărind parapeții, învățând, descoperind și descoperindu-te mai mult, poate chiar să creezi drumuri noi, cu parapeți sau chiar fără. Nu spun că nu există fericire în orașe, dar spun că fericirea vine mai ușor odată cu eliberarea din ceea ce simțeam că nu îmi făcea bine, cel putin în cazul meu. Mă găseam între parapeți, mergând cutezător înainte, între milioane de alții, mai mult sau mai puțin în același fel, către același loc.

E nevoie de timp și liniște pentru meditație, pentru analizarea gândurilor și acțiunilor noastre. Acum văd cu ochii minții acel drum pe care mergeam și văd milioanele de oameni îmbulzindu-se înainte, frecându-se de parapeți, iar eu, chiar dacă ar trebui să înaintez, mai șed pe iarbă, ceva mai sus de orice drum, și privesc. Dacă ai privi și mai de sus, m-ai distinge cu ușurință. Dar din acele milioane n-ai putea găsi unul.

Reacții

Judecățile oamenilor există și vor exista, iar ei te pot trage și înainte, și înapoi. Pentru că cei din jurul tău încearcă, în mod inconștient, să te tragă pe drumul lor, la fel cum și eu, în general, fără să-mi propun asta, încerc să te trag pe drumul meu. Nici ceilalți nu greșesc, nici eu, atât timp cât îți dorim binele.

Mulți consideră total greșit un drum al reîntoarcerii la copilărie, distracție, liniște. Li se pare normal să accepte oameni care le fac rău, chiar îi transformă într-un fel de sclavi, dar nu acceptă oameni diferiți, care nu le fac niciun rău. Ei consideră că trebuie să muncești de la 8:00 la 17:00, altfel cred că ceva nu e în regulă cu tine și nu-ți lasă loc de alegere. Acest subiect l-am dezvoltat în primele mele două cărți, așa că nu am să revin ca să-l lungesc prea mult și aici, dar îți mai spun doar atât: nu-ți mai bate capul cu ceea ce gândesc alții despre tine, ci bate-ți capul cu ceea ce gândești tu despre tine și felul în care o faci, cu ce date și pentru ce!

Uneori, îți dai seama că ai sau ești sau știi mai mult decât vechii tăi camarazi de drum cu parapeți. Pe undeva, poate că ai o mulțumire știind că alții o duc mai rău decât tine, dar dacă înțelegi cu adevărat ceea ce se întâmplă, realizezi faptul că totul este doar despre tine, despre ce vrei tu să faci cu această viață a ta. Privind de sus, de pe munte, la cătunele din vale, văzând casele răsfirate ca niște flori în mijlocul naturii, înțelegi că imaginea contează, că natura din jurul tău contează și că toate te schimbă.

Nu ai nicio scuză să stai pasiv atunci când ceea ce ai putea face sau spune ar schimba lumea în bine, indiferent de conjunctură. Cei mulți tac și merg înainte către propria moarte. De unde poate pleca bunătatea și liniștea sufletului către ceilalți, dacă nu dintr-un loc în care răutatea mai că nu există?

Familia

Familia credea că am deraiat, că am intrat într-o sectă sau că mă drogam, din cauză că am lăsat drumul cu parapeți departe, în Londra, pentru o potecă dintr-un cătun din Apuseni, ce le părea îngustă. „Pe ăsta l-am pierdut, nu-l mai calculați la normali!" Încetul cu încetul, au înțeles cât de largă e de fapt această cale, după ce m-au vizitat de câteva ori.

Acceptarea e destul de complicată în asemenea situații, mai ales când vrei foarte mult binele cuiva. De multe ori, se întâmplă să te pregătești de luptă atunci când nu există niciun dușman.

„Freud"

Câteodată, gândul îmi fuge la distinsul doctor M., un mare călător. L-am prins foarte putin în viață, eram copil pe vremea aceea. Cred că avea peste optzeci de ani și semăna foarte bine cu Freud, era îmbrăcat tot timpul într-un costum la care purta o vestă peste cămașă, în al cărei buzunar se afla un ceas din acela rotund, legat cu lănțișor de un nasture, pe care îl priveam cu mare curiozitate când îl scotea din când în când.

Avea o casă mare, cu fundație de piatră, într-un fel de junglă, la marginea pădurii, la capătul unei străduțe din Săvârșin. Intram în curte pe o poartă mică din lemn. Pe lângă ea, prin gard, nu se vedea înăuntru din cauza vegetației. După ce cu greu deschideam portița, noi, vizitatorii, rari, ce-i drept, trebuia să ne facem loc printre frunze și un fel de liane, ca să putem înainta spre casă.

După ce treceam de un fel de șură-depozit, probabil niciodată folosită de „Freud", începeam să zăresc casa înălțându-se în fața mea ca un castel, neoprindu-mă din mers de frica șerpilor sau a altor lighioane care priveau cu siguranță de prin desișurile prin care ne făceam loc să trecem. Ușa principală, aflată în fața casei, era baricadată din exterior cu niște paturi vechi de spital.

După lungi strigăte și bătăi în roletele coborâte ale geamurilor, ieșea doctorul prin spate și ne invita înăuntru, printr-un hol îngust, ce ducea către bucătărie, apoi către un alt hol, o baie și camera în care stătea doamna M., dar despre acel loc nu îmi amintesc nimic altceva, decât foarte vag de o tavă mare, un ceainic înalt și căni foarte frumoase, toate argintate. Din bucătărie mai țin minte că era odată deschisă trapa către beciul întunecat, imagine înfiorătoare pentru un copil, din cauza întregului context.

Din acel hol îngust, care făcea trecerea între terasă și bucătărie, intram într-o cameră foarte mare, o sufragerie în adevăratul sens al cuvântului. Fotolii cu spătarul înalt, cam cât un om normal ce stă în picioare, între care se afla un ceas uriaș, cu gong. Mai erau acolo un pian, pe lângă mobilierul vechi și o teracotă domnească de-un verde lucios, dar toate acestea de-abia se vedeau în semiîntunericul din cameră, lumina fiind barată de acele rolete veșnic lăsate peste geamuri, ca un fel de scuturi de apărare.

Din acea sufragerie, prin dreapta pianului, se mai putea merge undeva, existând acolo o ușă mare, dublă, cu geamuri din sticlă mată, peste al cărei prag nu am trecut niciodată, dar în stânga pianului, în partea opusă teracotei, coboram pe niște mici trepte, către o cameră-buncăr, fără geamuri, ori poate cu geamurile ascunse în spatele miilor de cărți ale doctorului. Încăperea avea rafturi cu cărți de jos până sus, îngrămădite peste tot. Un pat îngust, de spital, stătea undeva către un colț, lipit de rafturile cu cărți, la capătul lui o scară, iar aproape în centrul camerei era așezat un birou.

Cărți pe jos, cărți pe pat, cărți sub pat, cărți în cutii, cărți, cărți, cărți! Singura sursă de lumină era o veioză interesantă, ce se afla pe birou. Odată, doctorul s-a așezat pe scaunul vechi, m-a chemat lângă el și, punându-mi mâna pe umăr, mi-a arătat ce se afla pe birou, la lumina gălbuie a lămpii, ca un fel de document secret: un atlas geografic. Apoi s-a întins în cealaltă parte și a luat o lupă și o carte de undeva, a deschis-o și a căutat puțină vreme prin ea, găsind și citindu-mi descrierea unui loc de prin Asia, apoi l-am căutat împreună pe harta atlasului. Ah, cât de mult aș vrea acum să mai pot intra pe acea poartă, să trec prin junglă ca într-o altă dimensiune, să trec prin hol și sufragerie și să-l găsesc astăzi acolo pe doctor, ca să-l întreb atâtea, ce pe atunci nici nu le bănuiam. Ce om deosebit!

Când ieșeai pe portiță, în drum, parcă ieșeai de la cinema după ce brusc se aprindea lumina, strângându-ți pupilele dilatate de beznă. Dincolo de obloane și junglă, dincolo de poarta mică din lemn, era o altă lume, de oricare parte te aflai. Afară erau căruțe, mașini, vorbe multe care spuneau puțin, copii, joacă, banal. Înăuntru, însă, o lume a cărților, a fantasticului, a filosofiei, a călătoriei minții, a dimensiunilor, a științei, a religiilor, a artei. Cine e acolo, afară, capabil și îndreptățit să judece, fără a cunoaște oricum pe de-a întregul joaca nestingherită a lighioanelor din jungla lui „Freud"?

Trebuie?

Așa cum am fost învățați că trebuie să mâncăm de trei ori pe zi, că trebuie să ne căsătorim, că trebuie să avem un loc de muncă, că trebuie să fie colțurile drepte între pereți și tavane, tot așa mai avem deja întipărite în minte o grămadă de programe care ne împing către o viață standard, desenată deja de alții. Dar, surpriză: nu trebuie să trăim așa!

Desigur, unele lucruri sunt utile așa cum sunt ele deja. O cană poate că e bine să arate așa cum toți o cunoaștem și ne e utilă. Dar poate că putem inventa și un altfel de recipient din care să bem apă mai ușor și mai practic sau putem folosi căușul mâinii, ori o bucată de lemn, mai ales pentru apa de izvor. Tot astfel, putem trăi altfel.

Ce-ar fi lumea asta fără artă? Fără muzică? Fără cărți? Se poate trăi și altfel decât ai fost educat de către familie, apropiați, societate, iar asta înseamnă schimbare. Dacă Maica Teresa, Picasso, Gandhi, chiar Aristotel, Beethoven, Edison și mulți alții ar fi rămas pe drumul cu parapeți, cum ar fi arătat astăzi lumea?

Poți spune că în același fel unii au schimbat lumea în mod negativ, dar cred că aflarea adevărului, cunoașterea universului, și chiar cunoașterea de sine cer sacrificii. Dacă nu ar fi oameni care să sară parapeții, probabil că am fi crezut și astăzi că Soarele se învârtește în jurul Pământului. Așa că, dacă ești unul dintre cei care simt în adâncul sufletului că pot lăsa ceva memorabil în urma trecerii lor prin viață, fă ceea ce simți să faci, iar dacă simți să trăiești doar în simplitate și liniște, trăiește așa. Nimic nu te oprește și nu te forțează. Nimic nu trebuie, ci doar unele lucruri putem considera că e bine să fie făcute.

Desigur, putem afirma că trebuie să bem apă sau că trebuie să respirăm pentru a supraviețui, dar atunci când ne referim la stiluri de viață sau la o grămadă de obiceiuri, ele au fost cumva întipărite în mințile noastre ca și cum ar fi necesare, dar nu sunt neapărat așa.

Peștera, România

Spuneam că din grajdul de la Peștera am făcut o bucătărie cu un geam mare și lat către grădină. Într-o zi, privind pădurea prin el, mi-am dat seama că, mutându-mă la țară, pentru natură și pentru mine, din mașinuță fumegătoare m-am transformat într-un copăcel verde, cu ramuri foarte lungi și rădăcini solide. Nu cu mulți ani în urmă, locuiam în Hunedoara, loc în care ideea de a trimite mesaje către întreaga țară părea un fel de îndrăzneală obraznică. Chiar gândul de a colabora într-un fel sau altul cu oameni din celelalte colțuri ale țării părea încețoșat.

După ce am ajuns la Londra, am început să mă simt ca fiind conectat cu toată România, doar prin simplul fapt că aveam deschideri largi prin cei pe care i-am cunoscut. A depins și de mine, bineînțeles, să mă înconjor cu fel și fel de oameni din medii cât mai diverse, să îmi fac, fără prea mare efort, noi prieteni și legături.

Acolo am publicat prima carte și tot acolo am scris-o pe a doua, iar în scurt timp cărțile mele puteau fi găsite atât în întreaga Românie, cât și în alte țări. Acum, deși trăiesc într-un loc izolat, de la marginea pădurii, mă simt copăcel verde, cu ramurile întinse de jur împrejurul întregii planete, nu peste alți copăcei, ci printre ei. Acum, pentru mine locul nu mai contează, ci deschiderea minții și conexiunile, crengile, copăceii...

De ce nu se mută oamenii la țară? Soluții

Lipsa de fonduri – nu e musai să ai bani pentru a cumpăra o casă, ci poți găsi una în care să stai câțiva ani, iar în schimb să îi aduci îmbunătățiri. Poți chiar găsi alți oameni cu care să te muți. Poți vinde apartamentul de la oraș, apoi să cumperi o garsonieră tot acolo, pe care să o dai în chirie și o casă la țară care să devină căminul familiei tale. Poți căuta imobile ce țin de primărie, scoală, biserică, etc. Bunicii... un sprijin mult mai puternic decât pare. Poate că ai bunici la țară, dar nu vrei să te muți cu ei pentru că în acest fel nu vei putea transforma acel loc în ceea ce dorești, însă, poți face totuși o încercare de a le explica ce dorești să faci acolo, iar prin acceptarea lor de a se „preda” ție, vor putea vedea acel loc transformat în ceea ce va deveni oricum după ce ei nu vor mai fi.

Comunicarea reală și sinceră s-ar putea să funcționeze, iar ajutorul și cunoștințele bătrânilor într-o gospodărie îi fac de neînlocuit. Multe neînțelegeri apar prin lume din cauza lipsei de comunicare sinceră și clară.

Lipsa locurilor de muncă la sat – voi scrie despre asta mai târziu, într-un alt capitol al acestei cărți, când voi vorbi despre sursele de venit.

Lipsa unui spital – acesta e un motiv întemeiat pentru cei aflați în nevoie, dar pentru ceilalți nu ar trebui să fie. Au crescut atâția copii și au trăit atâția oameni la sat și trăiesc și acum, iar, uneori, drumul din sat până la spital în oraș durează la fel de mult ca drumul de acasă, dintr-un oraș mare, până la spital.

Lipsa unei școli decente – cred că educația pornește de acasă. Mulți au ajuns departe pornind de la sat. Pentru liceu/facultate se poate duce copilul, mai târziu, la oraș, chiar în străinătate.

Lipsa unei comunități potrivite – mulți visează, puțini caută cu adevărat sau încep să dezvolte așa ceva.

Lipsa vieții culturale și a conexiunii sociale adevărate – vreau să îți spun că eu n-am avut o viață socială mai bogată nicăieri precum o am aici, la sat. A trebuit să limitez vizitele oamenilor din cauza numărului lor mare, dornici să vină atât din țară, cât și din străinătate. Cât despre teatru, film, concerte, expoziții, nu te oprește nimeni ca în weekend să dai o fugă la oraș. Eu o fac cu succes.

Teama de schimbare – după mai bine de doi ani de la mutarea mea la țară, pot spune că a fost una dintre cele mai bune decizii din viața mea, ba chiar cred că cea mai bună.

Lipsa de cunoștințe – nu prea poți cunoaște multe despre sat dacă nu trăiești la sat. Într-un an, poți învăța suficient, dacă ai dorință și deschidere.

Lipsa internetului – există soluții pentru internet care funcționează foarte bine. Eu am wi-fi în capătul lumii. În unele sate există deja internet chiar și pe fir.

Cum fac oamenii un bine planetei prin mutarea lor la țară?

– Produc ei singuri o parte dintre alimentele pentru consum, renunțând astfel la multe dintre cele care, pentru a fi produse prin agricultura industrială, distrug solul. Resturile de la bucătărie, aici, se pot întoarce în natură prin compost sau animale.

– Produc mai puțin gunoi și noxe, atât direct, cât și indirect.

– Îngrijesc cu drag propria curte și livadă; plantează copaci.

– Adoptă animale care așteaptă chiar acum undeva să fie luate acasă și iubite.

– Au mai mult timp liber și mai multă bună dispoziție, care îi atrag și pe mulți alții, prin puterea exemplului.

Viața impredictibilă – la sat sau la oraș?

M-am culcat într-o după-amiază, după ce noaptea târziu am „cules" pe cineva din Deva, venit de la București. Unul dintre prietenii care se aflau aici, în timp ce eu m-am moleșit la căldură și pluteam în acel dulce moment de cădere în somn, s-a apucat să spargă butucii rămași de la tăierea lemnelor pentru iarnă, mari și noduroși, chiar sub geamul camerei mele. Îmi tresărea tot corpul, de parcă primeam câte o lovitură în piept la fiecare „tunet" de butuc și topor. Ce era stresant, de fapt? Nu loviturile și acel „tunet" în sine venit din fiecare lovitură, ci imposibilitatea prezicerii momentului următoarei lovituri. Acest prieten nu lovea cu butucii într-o frecvență ordonată, predictibilă. După ultima legătură de lovituri, mintea mea încerca să se pregătească pentru următorul „tunet", știind timpul aproximativ dintre ultimele două, astfel încât să mă mențină în starea de cădere în somn, însă lovitura următoare venea tot într-un moment neașteptat, ba mai devreme, ba mai târziu decât cel de dinainte.

Atunci mi-am amintit de spusele cuiva care a studiat psihologia și lucrează în asistență socială, despre copiii rămași cu sechele în urma abuzurilor suferite în familie. Concluzia: dincolo de faptul că, spunea ea, copiii rămân cu traume foarte puternice în urma abuzurilor de orice fel, cei mai puternic marcați, în egalitate cu traumele soldaților întorși din război, sunt cei care au fost supuși abuzurilor întâmplătoare, dar dese. Adică, un copil bătut și el sau care doar și-a văzut mama în mod repetat primind lovituri de la tatăl băut putea să prevină aceste experiențe și să se pregătească psihic pentru ele într-un fel dezvoltat de el însuși, știind că momentele în care tatăl nu este băut, e liniște și pace în casă. Însă, pe de cealaltă parte, un copil supus abuzurilor aparent fără motiv, în care tatăl, fără să fie băut, se ridica de la masă și o lovea pe mamă sau chiar pe copil, fără o pregătire inițială de orice fel, trăia permanent în tensiune. Tot așa, eu nu știam când va „tuna" cu butucii.

Unii dintre cei care nu au trăit la țară niciodată consideră că aici viața este plină de „tunete". Aș putea înșirui o grămadă de exemple prin care să dovedesc că acestea, mai mici sau mai mari, vin foarte des în oraș, de la sunete salvărilor și știrile care te inundă la tot pasul, până la revolte sau schimbări în plan personal, ce vin din exterior.

Pentru că nu cunosc viața la sat sau pentru că o cunosc prin ochii celor care au fugit de ea în vremea în care la țară era cu adevărat mult mai greu decât e astăzi, oamenilor le este teamă de ea, ca de ceva impredictibil.

Cei mari și cei mici

Părinții, oriunde în lume și de oricare fel ar fi (de exemplu mama și tata focă), își educă puiul pentru mediul în care ei trăiesc. Părinții din orașe își învață copilul să supraviețuiască acolo, să se apere, să concureze, să câștige competiții. În general, oamenii din orașe își educă copiii spre a întâmpina și a trece peste greutăți, nu spre a vedea lumina. E vorba de supraviețuire în jungla urbană, nu de fericirea de a trăi. „Viața e grea, o să vezi tu!"

Din acest motiv unul tânăr, atunci când zburdă liber și fericit, e lovit „în cap" și oprit de către cei din jur, apoi pus pe drumul cu parapeți sau cel puțin se încearcă asta, ca fiind singura soluție ca fericitul „nebun" „să-și revină". Dacă te muți și trăiești fără griji, fericit, liber, în natură, aproape că poți fi considerat nebun de către mulți dintre cei din oraş.

Părinții care se întorc cu copiii în natură îi învață să supraviețuiască, dar și să viețuiască, să trăiască în armonie cu mediul înconjurător și cu animalele, să se bucure de lucrurile mărunte, dar și de cele mari.

Mulți dintre cei care trăiesc în orașe încurajează, în mod inconștient, consumerismul, chiar moartea animalelor după o viață aspră și seacă, producția de deșeuri, poluarea.

Viața la sat diferă de cea de la oraş prin modurile de gândire și acțiune. În ambele locuri poți fi fericit, dar depinde cum vezi lucrurile și care sunt valorile după care te ghidezi; contează care sunt valorile care se lipesc de sufletul tău și care sunt cele care ți-au fost insuflate de către societate, acum tu fiind convins că sunt ale tale.

Știi oamenii aceia, care pun capul pe geamul ud al autobuzului în fiecare dimineață, închizând ochii ca să mai fure puțin somn în timp ce afară e încă noapte, iar luminile galbene ale lămpilor stradale trec printre scaune și peste ceilalți, în sunetul trepidant al motorului? Aceia sunt în general nefericiți, pentru că dacă astfel începe ziua, ea rămâne pătată.

6
PRIETENI

„Nimănui cu nimic nu fiţi datori, decât cu iubirea unuia faţă de altul.” (Romani 13:8)

În drumul meu, după ce am părăsit Londra şi până astăzi, am cunoscut diverse comunităţi, chiar şi oameni mutaţi de unii singuri prin sate. Ei au făcut această alegere în general pentru contactul mai mare cu natura, pentru frumuseţea satului, din placerea de a creşte animale, pentru a colinda pădurile, pentru a scăpa de poluare şi a respira aer curat, pentru a avea parte de lapte, ouă, brânză şi alte bunătăţuri proaspete.

Unii s-au mutat la ţară şi din motive ce ţin de spiritualitate, ori pentru a avea mai mult spatiu, pentru a creşte copiii mai liberi şi mai sănătoşi, pentru pace şi armonie, pentru a trăi departe de stres şi trafic intens.

Alţii pentru a învăţa lucruri noi, pentru a simţi în fiecare zi pământul sub picioare, pentru ritmul mai lent al vieţii de la ţară, pentru întoarcerea la origini şi la lucrurile simple, pentru mişcare, pentru a simţi viaţa cu cântecele, culorile, parfumurile şi gusturile ei şi ale planetei pe care trăim.

Pornit să cunosc oameni mutați la țară

Nu mai țin minte cum, după ce m-am mutat la casa mea (la prima casă), am auzit povestindu-se despre un sat aflat nu departe de Timișoara și despre o mică comunitate de „mutați la țară" de acolo. Cu Dora Exploratoarea (după cum singură s-a botezat) am vorbit mai demult, pe când eram încă în Londra, descoperind-o prin oameni foarte dragi pe care îi aveam în comun. Am sunat-o și am plecat spre satul cu pricina, așa, hodoronc-tronc, pe capul ei, după ce am stabilit totuși prin telefon un schimb: eu aveam să-i montez niște lumini cu și fără senzori prin șură și cămări, iar ea avea să mă învețe una-alta despre mutarea la sat. Mi-am luat niște haine, pantofii sport cei noi și scule de lucru, apoi am pornit la drum.

Am ajuns acolo înaintea Dorei Exploratoarea, ea fiind încă în Timișoara, dar am găsit-o pe mama ei prin curte, astfel că am fost poftit înăuntru, la o cafea și povești, în vestita-i șură. Apoi am dat o raită prin curte și grădină, pe la toaletele ecologice, în livadă, pe la căbănuța din lemn și lut care se afla în construcție, în spatele casei, prin grădina mult iubită și atent îngrijită, pe la leagăn, pe la uscătorul solar de legume. După ce m-am săturat de inspectat casa, m-am apucat de treburile electrice, Dora Exploratoarea găsindu-mă mai târziu cocoțat pe o scară. Nu m-am oprit din lucru până la venirea serii.

După lăsarea întunericului, m-a dus prin sat să căutăm un om pe care și-ar fi dorit să-l cunosc, dar, după un drum destul de lung, nu l-am găsit acasă. De acolo, deși venise noaptea de-a binelea, am pornit către casa unui cuplu româno-belgian, să văd cum au modificat ei șura în locuință și s-au mutat în ca. I-am găsit mâncând brânză din Belgia, în casă, cu ușa închisă, vara.

Eu purtam pantofii sport cei noi care, deși asta nu mi se întâmplă în alții, emanau un miros îngrozitor chiar și fără să mă descalț. Porniserăm la drum și vizite imediat după ce eu am terminat de instalat becurile, lăsând dușul pentru întoarcerea acasă, iar alte încălțări oricum nu aveam.

– Hello!!!

– Hello!!!

Iată că am fost poftiți în casa-șură, foarte frumoasă. Eu căutam să ies, să stăm afară, doar era vară și cald, când colo am fost invitați să stăm în camera de zi, amenajată în cealaltă parte a încăperii. Cu chiu, cu vai am acceptat, continuând să latru despre faptul că fumez și afară e cald și e mai mult spațiu pentru a sta câteva minute împreună. Oamenii, trei la număr, (mai aveau deja un musafir) mutau deja brânza și alte lucruri pe acolo, dar s-au oprit din acțiune ca trăzniți văzând că mă îndrept spre colțul cu pricina, apoi m-am pomenit cu ei țipând ca să mă descalț.

Excelent! mi-am zis. Cum naiba să fi stat în colțul acela, mâncând cu toții brânză, cu mine desculț, în situația în care mă aflam? Poate niște moare de varză și-o tonă de pește proaspăt m-ar fi acoperit și salvat, nicidecum acea finuță brânză belgiană.

– Eu nu mă descalț! am zis. N-am cum, că muriți aici. Mor și eu cu voi cu tot, dar de rușine.

– Ei, lasă că n-o fi așa de rău! insistau necunoscuții în casa lor.

– Ba e rău! Nu mă descalț. Haide să stăm aici, în partea unde e bucătăria! ziceam eu hotărât.

– Hai, descalță-te! repetau ei. Podeaua este făcută din țiglă specială și curățată chiar astăzi cu periuța de dinți, pentru că mâine ne vin musafiri din Belgia.

– Dați-mi o găleată să mă spăl pe picioare! le-am cerut cumva pe un ton aproape nervos oamenilor pe care abia îi cunoscusem și în casa cărora ajunsesem neinvitați. S-a creat o situație stânjenitoare, Dora Exploratoarea fiind singura vizibil jenată din cauza faptului că m-a dus acolo. Eu n-aveam nicio jenă, oamenii nici atât.

– Nu avem găleată pentru așa ceva! a spus una dintre gazde pe un ton care creștea tensiunea dintre noi.

– Bine, atunci un robinet afară?

– Haide să stăm la bucătărie! a zis unul dintre ei, dorind să termine astfel jocul de replici rapide.

– Haide să stăm afară! am insistat eu.

Deja parcă nu se mai termina acel ping-pong de cuvinte, dar după câteva zeci de secunde de discuții puțin forțate, menite să acopere situația jenantă, am ajuns să râdem și să povestim tot felul de întâmplări, acolo în bucătărie.

Dincolo de această amuzantă poveste, mai ales pentru cine îi cunoaște, sunt niște oameni minunați. Șura lor arată extraordinar. Până la urmă, m-au lăsat să urc încălțat ca să văd dormitorul din pod. Mi-au arătat soba „rachetă" și un „frigider" îngropat lângă intrarea în bucătărie. Mă bucur foarte mult că i-am cunoscut și că situația aceea neplăcută a devenit una de amuzament mai târziu (a doua zi, după ce am ajuns acasă, am azvârlit pantofii direct în tomberon).

De acolo am pornit cu Dora Exploratoarea înapoi spre casa ei, râzând și inventând scenarii despre mine desculț în casa oamenilor. Apoi am povestit până noaptea la 1:00 despre voluntari, construcții, grădinărit și tot felul de alte activități, primind o grămadă de sfaturi utile, ca mai târziu, în primăvară, să mi se întoarcă vizita și să primesc multe feluri de răsaduri de roșii, care au dat roade minunate.

Nu am nimic împotriva străinilor veniți să trăiască în România. Am trăit în Londra, am rude și prieteni români care au casele lor cumpărate în Anglia și prin lume. Lumea întreagă e a noastră, a tuturor, iar cum noi, românii, avem dreptul să trăim în alte părți ale lumii, tot așa și străinii au dreptul să vină și să trăiască în România. Dar, fraților, îmi plânge inima când văd cum stau casele goale, prin sate aflate în locuri de poveste, și ici-colo mai apare câte un străin care știe aprecia și îngriji natura și țara noastră, iar românii fug din ea.

Respir românește, mănânc românește, beau românește, vorbesc românește, trăiesc românește, dar locuind o vreme prin străinătate am înțeles că lumea asta în care trăim e un bun comun și că, pe undeva, cu toții suntem frați. Mult chin și amar va mai fi pe lume până când vom înțelege cu toții că nu e timp și loc pentru orgolii, pentru lupte, pentru concurență și că nu avem altceva de făcut decât să trăim cu toții frumos, împreună.

O ALTĂ EXCURSIE

În altă zi, după o vreme, am hotărât să vizitez alți prieteni, care stau pe undeva pe sus, destul de izolați, în Alba, de la care am primit doi pisici. Era iarnă grea și drumul plin de zăpadă și gheață, astfel că a trebuit să conduc încet și mai atent decât de obicei, cheltuind dublul timpului de dus-întors față de șofatul la munte în condiții normale. Rătăcind prin sate, întrebând oameni prin birturi, am ajuns, pe un drum destul de rău, lângă o casă de la drum, după un centru turistic, cum mi-a fost indicat. M-au așteptat cu capra și câinii, acolo, jos, la un kilometru de casa lor. Am urcat acea cărare pe o potecă abruptă și înzăpezită.

Povestind cu ei, adesea eram furat de peisajul minunat care ne înconjura pe cale, în sus. În depărtare, pe cealaltă parte de munte, zăream șuri și case ici-colo, încărcate și ele de zăpadă. Din vorbă-n vorbă, am ajuns în curtea casei lor, prin grădină, pe lângă bradul din curte. M-au poftit în casă, dar eu am dat buzna în atelierul proaspăt construit de ei de la fundație și până la acoperiș. Acolo m-am pierdut printre scule, materiale, idei și planuri de construcții diverse, lângă o masă de lucru cu menghină din lemn și o sobă foarte drăguță, mică, din fier, restaurată. De acolo, aproape în fugă, am ajuns în casă, la paturi construite din elemente vechi de car, la sobe, la uși făcute tot de ei, cu mânere din lemn. Ce loc frumos!

În sfârșit, au reușit să mă ducă în bucătăria caldă din căsuța mică dintre casă și atelier, ca să stăm jos, după care am primit pâine cu salată de vinete și jumere și-un ceai bun de nu-mi venea să mai plec. Simțeam și acolo acea simplitate complexă. Știi, poți avea trăiri intense și gânduri adânci într-o cameră mică și goală, dar poți avea capul gol într-un palat poleit cu aur. Am stat, am povestit, dar a trebuit să mă întorc repede din cauza drumului înzăpezit și a înserării.

M-au condus tot cu capra până la mașină. Pornind încet și privind ba înainte, ba în oglinda retrovizoare către ei, simțeam că deși fizic mă îndepărtam, distanța dintre noi rămânea aceeași. Acea poză a tinerilor cu capra e poza pe care mulți o văd, puțini o înțeleg. Casa lor este un loc de creație, departe de lume, un loc pur, care a prins viață din nou datorită lor și a celorlalți care i-au trecut pragul. După o vreme, au venit și ei la mine.

Oglinda

Au urmat tot felul de mici excursii pe la oameni interesanți de prin sate, de la care am primit într-un timp foarte scurt o sumedenie de informații utile pentru mutarea mea la țară.

Am găsit mutați prin sate tineri care se ocupă de construcții, de turism și tot felul de alte activități, dar și pe unii care s-au mutat la țară (mai mult la munte) pentru a fi mai aproape de ei înșiși și de sursa divină. Aproape toți, dacă nu chiar toți aceștia sunt foarte deschiși. Te îmbrățișează cu adevărat, te primesc cu tot dragul în casele lor și te omenesc cu ce au mai bun prin cămară. Pentru ei, sensul vieții și plăcerile, din simplele activități ce țin de băut și de mâncat, ori din cumpărat tot felul de lucruri și statul în fața televizorului, s-au transformat în îmbrățișat străini, în prietenii pe viață, în povești care te schimbă, la gura sobei sau în jurul focului, sub cerul liber.

Am văzut, tot pe la țară, și oameni lacomi, care își pun atât de multă mâncare, încât le curge din farfurie, apoi înfulecă fără a se întreba dacă celorlalți le ajunge. Am văzut și împăcați, care așteaptă ca toți să aibă de mâncare în farfurii și nu își puneau măcar problema că ar rămâne nesătui, pentru că scopul și hrana lor venea din ceea ce se construia din întâlnirea noastră, din faptul că ne aflam cu toții împreună.

În toți cei descriși mai sus m-am văzut pe mine. În munți, departe de lume, mi-am găsit oglinda în toți ceilalți, chiar dacă ea reflecta și imagini din trecut. Oamenii sunt diferiți, dar apartenența la o comunitate îi face mult mai fericiți. Fiecare are ceva de oferit și se schimbă cu ajutorul celorlalți prin puterea exemplului. Văzând oameni în suferință, aflați în momente grele ale vieții, conștientizând nevoile celor pe care îi întâlnesc în scurte călătorii, la un moment dat, când vor avea cunoaștere destulă, vor redirecționa energia primită înapoi către cei mai nefericiți.

Comunități

Sunt sigur și știu din mai multe surse că foarte mulți și-ar dori să trăiască în comunități reale, unde să împartă, să se ajute între ei, să se aibă ca frații, însă așteptările de la o comunitate ce poate fi închegată în natură sunt mari. Comunitățile despre care eu am auzit că s-au format prin România nu prea au avut viață lungă, pentru că oamenii le-au format mai mult pentru a fugi de oraș, decât pentru a face ceva real în grupările respective. Apoi, dacă se unesc, de exemplu, cinci grădinari, pasionați de permacultură, să încropească o comunitate în care vine și un om spiritual cu toba în spinare, mai devreme sau mai târziu grădinarii vor fi supărați pe toboșar pentru că el nu lucrează destul, iar acesta din urmă se va supăra pe ceilalți pentru că ei nu bat în tobă și muncesc prea mult, neînțelegând dimensiunile în care el reușește să pășească cu gândul. Diversitatea este foarte sănătoasă, dar nu atunci când nevoile de bază ale oamenilor din grup sunt asigurate prin munca zilnică, de către toți în același fel!

Probabil că nici eu nu cunosc destul, dar din câte am învățat până astăzi, o comunitate formată în natură, și nu numai, are nevoie de un bun manager/lider. Nu toată lumea se pricepe la asta, iar dacă viitorul comunității este lăsat pe mâna votului majorității, niciodată nu se va ajunge la un consens, iar discuțiile despre tot felul de decizii, fie ele cât de mărunte, nu se vor termina niciodată. Managerul ar trebui să fie un om responsabil, hotărât, de bună credință și posesor de cunoștințe vaste în domeniu. Astfel, într-un mod transparent, ar fi posibilă, zic eu, ducerea înainte cu succes a unui asemenea proiect pe teren privat sau unul al tuturor membrilor. Toate comunitățile din lume (aici nu vorbesc de locurile în care oamenii și-au cumpărat terenuri private și s-au mutat pe la țară, fiind totodată vecini cu alții ca ei), au avut sau au un lider care a schițat un parcurs sănătos pentru grup printr-un plan clar și real de management. Astfel, planurile de viitor, spațiile de cazare, plata facturilor, găsirea meseriașilor sau a uneltelor și mașinăriilor necesare, asigurarea alimentelor și lemnelor de foc, chiar a banilor, ar fi realizate de cineva cu viziune, iar restul de munci ar putea fi făcute de către cei pasionați. Grădina îngrijită de iubitorii plantelor, animalele de iubitorii de animale, workshopurile organizate și susținute de către cei talentați în comunicare, meșteșugurile păstrate de către cei care au îndemânare și asta doresc să facă etc., iar astfel o comunitate și-ar găsi rostul, desigur, prin împărțirea bunurilor și banilor într-un mod transparent și echitabil. Tot astfel, nu ar exista probleme care vin din stresul celor care nu știu să organizeze diverse.

Cunosc oameni pasionați de plante, dar necăjiți de incapacitatea organizării restului de treburi. Într-o asemenea comunitate, cel care își are toată forța direcționată către grădinărit sau culesul plantelor pentru ceaiuri nu ar trebui să-și rupă din energie pentru a găsi soluții de achitare a facturilor, iar cel care este bun la organizare nu ar trebui să-și rupă din energie pentru a culege plante.

Altfel, chiar dacă comunitatea ar conține exclusiv elemente care să o unească, ea s-ar dezbina din lipsa organizării și din cauza discuțiilor nesfârșite, fără rezultat. Dacă toți membri comunității ar fi artiști și s-ar ocupa de pasiunile lor, cine ar vedea de restul treburilor care sunt atât de multe într-o singură gospodărie normală, ca să nu vorbim despre ce se întâmplă într-o gospodărie de comunitate. Apoi, oamenii se mută la țară și din nevoia de a avea libertate, dar peste tot în lume, fiecare muncește ceva, indiferent că se află la oraș, la sat sau în mijlocul pădurii, iar în exemplul de mai sus munca ar deveni plăcere, fiecare ar putea face ceea ce-i place și libertatea s-ar concretiza prin a nu fi nevoit să facă ceva ce nu-i place, că doar de asta vrem să fim liberi, ca să putem face ceea ce ne place, în armonie cu ceilalți și cu natura, ca să trăim frumos.

Poate că există soluții mai bune pentru a porni o comunitate sănătoasă, dar această variantă este singura de care am eu cunoștință până astăzi, deși pe la noi, încă, managerul este văzut ca fiind un dictator, un exploatator de oameni, nu un om care are un rol necesar într-o astfel de situație și muncă de prestat.

Eu văd ca posibilă dezvoltarea unei comunități funcționale fie pe un teren mare, legat, fie într-un sat în care membrii care vor să trăiască împreună mai ușor își construiesc case/cabane, iar activitățile le împart între ei și colaborează intens în fiecare zi, fie pe terenul cuiva și în casa/camerele/cabanele cuiva, unde se gospodăresc împărțind muncile: unul are grijă de venituri și cheltuieli, plus treabă de management gândit pe termen lung, având totodată grijă de găsirea soluțiilor pentru producerea veniturilor, altul se ocupă de bucătărie și cămară, altul de grădină și zonele verzi (plantat, plivit, curățat, udat, recoltat), altul de animale (muls, îngrijit, tratat, hrană zilnică + pentru iarnă), altul de musafiri și voluntari (organizare de la muncă și până la lenjerii de pat, tratare, găzduire, materiale, scule, alte nevoi). Desigur, dacă comunitatea crește, în oricare dintre formele de mai sus ar fi nevoie și de cineva care să se ocupe de supravegherea copiilor.

Apoi, se pot înființa ateliere pentru meșteșuguri, din care pot veni bani pentru nevoile tuturor: prelucrarea lemnului, de la obiecte mici, până la tâmplărie clasică, pictură, olărit, croșetat și așa mai departe.

Subiectul ar putea fi dezvoltat chiar într-o carte (locație, construcții, organizare, management, nevoi, spațiu comun, proprietate personală, resurse, activități, surse de hrană, auto-sustenabilitate etc.), dar aici am vrut doar să amintesc pe scurt despre ceea ce gândesc eu.

Din nou la prima casă

A urmat o grămadă de treabă, de la curățenie și până la construcții, de care înainte vreme nu credeam că mă voi apuca vreodată. Au venit ajutoare, prieteni și voluntari din întreaga lume. Au fost vreo două sute de persoane care mi-au trecut pragul casei într-un an, majoritatea pentru mai multe zile, de mai multe ori.

Cameron a fost primul voluntar, venit pentru două săptămâni, din Londra, pe bicicletă, intrat în țară prin Sighetu Marmației, care a făcut în total două luni și jumătate pe drum. Apoi au venit alții, din multe alte locuri. În acel weekend în care a ajuns Cameron, am avut cincisprezece oameni la masă.

Pe tot parcursul verii, pentru că iarna au venit mai puțini, am găzduit voluntari din Hong Kong, Canada, Germania, Croația, China, Israel, Spania, Franța, Anglia, Brazilia etc.

Ce am lucrat cu ei și ce am învățat? O grămadă de lucruri. În primul rând, am întâlnit oameni deschiși către noi experiențe, pregătiți să îmbrățișeze un nou stil de viață, pentru mai multe zile sau chiar săptămâni. În jurul focului, am auzit fel și fel de povestiri despre alte locuri, despre ceea ce au trăit ei ca voluntari plecați ca să cunoască lumea în acest fel, prin platforme online care facilitează această activitate, dar și despre viețile lor de zi cu zi, despre grijile, problemele, bucuriile sau planurile lor. Unii dintre ei sunt trimiși chiar de către părinți, fiind destul de bogați, ca să vadă lumea, tradiții, noi moduri de viață și alimentație, plătind prin muncă pentru cazare și mâncare. Astfel, după un an trăit din plin în miezul țărilor vizitate, întâlnind alți voluntari din alte țări, întorcându-se acasă cu un bagaj plin de experiențe, amintiri și cunoștințe noi, rămân cu o nouă viziune, mai clară, asupra vieții și viitorului lor. Unii mi-au povestit cum, înainte să ajungă la mine, au participat la făcut de cărămidă în Maroc, în condiții destul de grele de trai. Alții veneau de acasă sau din locuri foarte pitorești. De la fiecare nou venit aflam câte ceva interesant despre planeta pe care cu toții trăim.

Regulament

Pe de altă parte, după câteva luni de zile cu casa plină de prieteni și voluntari, după multe petreceri împreună, am început să obosesc. Ca soluție de moment, a fost acest mesaj trimis prietenilor mutați la țară:

„Salut, dragilor!

După cum știți, am cumpărat o casă între Deva și Brad, prin luna octombrie. Am muncit cam douăsprezece ore pe zi și mai am de muncit foarte mult pentru a o pune pe picioare. Pe lângă banii plătiți pe casă, am mai cheltuit mulți și pe materiale. Aproape că nu se vede ce am făcut până acum, deși casa a devenit locuibilă (și pe timp de iarnă), după ce a stat părăsită vreo zece-cincisprezece ani. Mai am de făcut încă două-trei sobe, scări în curte, un hidrofor și întregul sistem pentru apă, cel puțin o baie, bucătărie în fostul grajd (+ geamuri, tavan nou, podele), garduri, burlane, instalație electrică nouă (jumătate din ea e gata), zugrăveli, beciul transformat în dormitor, căsuța din curte refăcută de jos până sus, un cuptor de pâine/pizza, o fosă septică pentru WC, o fosă separată pentru scurgerea de la bucătărie, o sală de mese în șură, un atelier de scule, o vatră de foc, împrejmuită de butuci sau bănci din piatră zidită, mobilă etc. Deja m-am cocoșat de muncă, dar îmi place foarte mult ceea ce fac!

Ca să trec la subiect, în ultima vreme am căutat oameni care au un vis asemănător, de a locui într-o zonă curată, de a scăpa de dependența de un loc de muncă, de a se bucura de natură, animale, oameni, sine, la țară, ca să schimbăm păreri și să ne ajutăm, și desigur, să ne împrietenim. Pe unii i-am găsit reticenți, suspicioși, tăcuți, probabil pentru că au trecut prin experiențe diverse, iar pe alții foarte deschiși și primitori. Am cunoscut oameni flexibili, dar am cunoscut și oameni care spun despre ei că nu se încadrează în sistem. Nici eu nu ma încadrez în sistem, dar în ultimii ani am muncit ca să îmi pregătesc ruperea de el, rupere care oricum nu trebuie să fie și nu va fi totală. Rămân unul dintre cei prin mâna cărora se mai plimbă pixuri și facturi, nu doar sapa și drujba.

Acum, pentru că am casă, ce să fac la țară, în natură? Să mă îmbăt și să mă droghez (vezi ce zic copiii de hipioți, născuți prin 70')? Nu prea sună bine. Să suflu în păpădie, să mă joc cu frunzele de trifoi, să cânt și să meditez? Frumos! Dar cât? Și după? De ce să nu fac mai mult? De ce să nu fac parte dintr-un grup de oameni pe aceeași lungime de undă? De ce să nu construiesc ceva minunat atât în plan fizic, cât și spiritual? De ce să nu ne bucurăm împreună de natură, sat, sănătate, liniște și libertate, cântând și veselindu-ne? De ce să nu fac la țară și ceva din care să câștig și bani? Hop! Unii dintre voi deja s-au strâmbat, știu!, dar care e diferența între a primi de exemplu donații în bani și a oferi o experiență în schimbul banilor (ca să fie cercul închis)? Varianta a doua cred că e mai sănătoasă și mai corectă! Există cineva între noi care nu a consumat ceva plătit cu bani în ultimul an de viață? Dacă da, cinste lui! Dacă nu a plătit cu banii lui, tot cinste lui! Concluzia – avem nevoie de bani! Din ceva e nevoie să facem și bani...

Am observat că se lipesc prin comunități rurale și oameni care nu se încadrează în sistem la oraș, dar nici la sat. Ei pur și simplu nu se potrivesc nicăieri, dar vin la relaxare și la a „cugeta" în natură, și nu par să fie puțini. Însă când vine vorba de mâncat/băut/fumat/dansat, aceștia, culmea, se potrivesc perfect oriunde s-ar afla! Brusc, nu mai au nicio depresie, nici pe dracu', joacă și chiuie. Eu îmi doresc foarte mult să ne întâlnim și să ne bucurăm împreună, dar nu să profităm unii de pe urma celorlalți și nici să muncim pentru oameni care n-au chef să facă ceea ce poate că nici noi nu avem chef să facem.

S-au anunțat pentru vara asta deja oameni care își doresc să vină la mine, cu corturile, cum o fi, pentru săptămâni sau luni de zile.

M-am gândit deja să ofer cazare celor care își doresc să lucreze de la țară (pictori, scriitori, IT-iști), pe termen lung, contra unei sume modeste (asta însemnând ca ei să își poată permite, dar să mă aleg și eu cu ceva din toată afacerea, ca să nu pun bani de la mine când se arde becul în camera lor), să ne bucurăm împreună de un mediu fain și sănătos. În acest moment, încă nu sunt pregătit pentru a caza oameni în acest fel, adică în camere separate, dar vara asta vor veni prieteni și prieteni de-ai prietenilor, cel putin zeci. Am auzit deja:

– Vin să stau o vreme și te mai ajut și eu pe acolo!

Întrebarea este aceasta: ce reguli clare și corecte să fac eu pentru vizitatori/voluntari? Cum atragem alături de noi oameni care respectă și susțin natura, viața la țară, dar și pe noi, gazdele? Voi cum faceți? Ce reguli aveți?

Trecând eu, așa, prin viață, mi-am dat seama că atunci când am folosit reguli clare, în diverse conjuncturi, totul a mers bine, tot timpul! Când am mers pe încredere, pe „lasă că vedem noi", mai devreme sau mai târziu au apărut neînțelegeri.

Oamenii care vin în vizită nu sunt conștienți de consumuri: curent electric, detergent, internet, drumuri pentru aprovizionare, mâncare, uzura lucrurilor (saltele și lenjerii, căni sau farfurii sparte), lemn de foc (vatră, grătar sau în casă) etc., nu mai zic de costurile de construcție și reparații sau munca fizică depusă. Majoritatea consideră ca fiind destul dacă aduc cu ei ceva de mâncare și de băut (că doar e ieșire la munte); mai mult, consideră că e suficient să plătească exact cât au mâncat/băut. Problema se pune nu când vin doi prieteni, o zi/două, ci atunci când vin cincizeci de prieteni și prieteni de-ai prietenilor, sau o sută, sau mai multi, în decurs de o vară, atunci când tragi linie și vezi cât te-a costat distracția.

E minunat să te afli în mijlocul oamenilor, dar după plecarea lor rămâne fosa plină și buzunarul gol, dacă lucrurile nu sunt gândite de la început și dacă nu procedăm corect. Să fim serioși, niciunul dintre noi nu s-a mutat la țară ca să facă pomeni prin distracții. Pomeni facem pentru orfani și bolnavi, persoane care nu se pot ajuta singure, dar ne dorim distracții, oameni mulți în jur, râsete și voie bună și respect reciproc. Ne place să mâncăm împreună și să stăm seara la foc la povești și cântece. Vrem să ne bucurăm împreună într-un mod în care toți să ieșim zâmbind din horă.

Îmi place foarte mult la țară, îmi place distracția și să retrăiesc oarecum copilăria, însă, în momentul în care casierița de la magazinul de materiale îmi spune: „4800 de lei!" uitându-se la mine serioasă peste ochelarii-i căzuți pe nas, mă simt al naibii de adult. La fel și atunci când mi se defectează mașina, telefonul sau drujba. Chiar dacă unii dintre voi alegeți să vă întoarceți la săpatul cu lemnul în piatră, eu aș vrea să am o pensie, să nu devin povara unor copii crescuți în afara sistemului, să îmi permit să văd piramidele din Egipt, să stau la țară, între oameni frumoși, să creez și să construiesc, dar nu să trăiesc la țară și atât.

Așadar, cum facem să ne putem susține și primi oaspeți într-un mod transparent și corect, apoi să ne bucurăm alături de ei și să fie toată lumea fericită? Sigur că unii nu își permit să plătească, dar o bună regulă ar fi să ajute la muncă într-un program, pe lângă gătit și spălat de vase sau curățenie. Dar cât și cum? Îmi pare nepotrivit să îl pun la muncă pe omul care vine pentru o zi-două la mine, dar și mai nepotrivit îmi pare să muncesc eu pentru el, mai ales când știu că mai vin alți două sute după el.

Daca aveți ceva de împărtășit cu privire la ce am scris, vă rog să o faceți.

Mulțumesc pentru că faceți parte din viața mea!"

După ce am postat acest mesaj pe rețelele de socializare, am primit o grămadă de idei, apoi am conceput regulamentul casei pentru prieteni și voluntari, trimis fiecăruia, dar și afișat pe zidul casei. Oamenii au înțeles.

Regulamentul casei

„Salutare tuturor!

Cu toții ne dorim ca locul acesta, aflat într-un sat liniștit de munte, luminos și curat, să devină un spațiu în care să putem primi oameni cu sufletul deschis, ca și noi, unde să împărtășim experiențe noi sau din trecut și să participăm la activități specifice locului, împreună. Mai dorim ca aici să vină oameni diferiți ca pregătire sau credință, să ne cunoaștem, să reînvățăm ce înseamnă firescul, prin comunicare, respect față de natură și animale, prin relaxare, dar și prin muncă, să reînvățăm să ascultăm înainte de a judeca, să uităm, chiar și pentru câteva zile, de aglomerarea urbană, în care, poate, mulți dintre voi se simt de fapt izolați de ceea ce înseamnă condiția umană.

Deconectați de stresul cotidian, încercăm să punem bazele unui proiect pentru oameni, în care să reînvățăm să fim sinceri, frumoși, pozitivi, să ne reamintim că natura este viață, să ne refacem limpezimea minții și adevăratele priorități. Sănătatea mediului înconjurător este sănătatea noastră. Respectul față de noi înșine înseamnă respectul față de ceilalți și invers. Suntem un întreg în tot ceea ce se întâmplă cu noi, între noi și în natură. Vom încerca să reînțelegem că tot ceea ce creăm în jur ne reprezintă și este oglinda sufletului nostru.

Urmărind concretizarea acestui proiect, așteptăm suportul vostru onest prin comportament și înțelegere față de acest loc și aceste idei.

Nimic din ceea ce veți întâlni aici nu este creat pentru profitul personal al cuiva, decât pentru câștigul tuturor celor care trec pragul acestei case. Dacă va exista vreun câștig material, el va reprezenta o plus-valoare, care se va reîntoarce în acest proiect. Aceasta va fi în beneficiul tuturor celor care vor veni sau reveni aici și va reprezenta, până la urmă, sustenabilitatea acestui proiect.

Deschizând ușa acestei case, urmărim să ne cunoaștem prin activități constructive și distractive sau chiar educative, evenimente, muzică, dans, desen, deprinderi artistice sau lucrative, culinare, drumeții sau pur și simplu relaxare. Bineînțeles că cei care vin aici sunt liberi să propună noi activități.

Am ales acest loc retras, în mijlocul naturii, tocmai pentru a ne putea aduna gândurile, pentru a învăța să ne reconectăm cu natura, să ne înțelegem, înțelegând-o. Din acest loc, veți putea reveni în oraș mai plini de energie și mai zâmbitori, știind totodată că vă veți putea reîntoarce aici oricând.

Dorim ca cei care vin să simtă cu adevărat că vor să vină și să ia parte la ceea ce facem noi, cei de aici. Să caute nu confortul fals al orașului sau conexiuni superficiale, ci un loc în care să primeze respectul față de natură și oameni. Pentru ceilalți, care nu sunt pregătiți să participe din suflet la un asemenea proiect sau nu prea înțeleg ideea noastră, să mai aștepte sau să caute alte destinații pe placul lor.

Condițiile pe care le oferim:

O casă simplă de la țară, cu trei camere (două camere libere, cu câte patru locuri de dormit), baie și bucătărie pentru oaspeți. Mașină de spălat, care poate fi folosită de toată lumea din casă. În acest moment, putem găzdui până la opt persoane odată și așteptăm ca locul în care vor sta să fie păstrat curat și ordonat. Timpul de ședere să fie de cel putin zece zile, altfel unii vor veni, alții vor pleca, iar casa va deveni un fel de gară (spun asta din experiență).

Mâncarea:

Dietă omnivoră, cu cât mai multe produse vegetale și locale. Pe perioada iernii/primăverii mâncăm ceea ce am conservat/congelat de anul trecut, legume, ouă, lapte, brânză din sat și uneori carne. Vara și toamna mâncăm produse din grădină și solar, dar și unele locale și regionale.

Nu putem oferi produse care în mod normal nu fac parte din dieta noastră zilnică (de exemplu lapte de soia, produse fără gluten). Dacă doriți să gătiți preparate vegetariene, mâncăruri tradiționale sau mâncăruri speciale, sunteți liberi să o faceți.

Internet:

Avem wi-fi printr-o linie mobilă. Aici considerăm că suntem mai aproape de natură și animale, astfel că accesul limitat la internet vine ca o deconectare reală de la ceea ce se întâmplă zi de zi în oraș.

Transport:

Orașul Brad se află la circa treizeci de kilometri distanță, iar Deva la șaizeci și cinci.

Din comuna Buceș aveți autobuze zilnice catre Timișoara, trecând prin Brad și Deva, iar către Cluj, trecând prin Abrud și Câmpeni.

Din experiența altor voluntari, luatul la ocazie funcționează în zonă cu succes. Din sat există două microbuze de luni până vineri către și dinspre Brad.

Asistența medicală:

Numărul de urgență este 112. Vă rugăm să veniți cu asigurare medicală în vigoare pentru a exclude probleme financiare în caz de incidente neplăcute.

Timp liber și evenimente:

În general vor veni prieteni și vecini în vizite scurte și sunteți bineveniți să luați parte la ceea ce vom face noi. De asemenea, dacă avem drum spre oraș la cumpărături sau pentru a face vizite, ne puteți însoți. Dacă doriți să petreceți timp în liniște sunteți liberi să o faceți.

Uneori vom organiza evenimente, la care puteți participa și voi.

Animale de companie:

După o experiență negativă, am hotărât să nu vă mai primim cu animale de companie pentru că nu știm cum vor interacționa cu oaspeții casei și cu animalele existente aici; în plus, ținem la ordine și curățenie în camerele în care locuim. Avem trei câini, doi motani și găini.

Lucruri pe care să le aduceți:

– sac de dormit,
– bocanci,
– medicamente pentru boli comune,
– săpun ecologic.

Dacă lucrurile nu merg așa cum ne-am propus:

Noi vedem găzduirea atât a prietenilor, cât și a necunoscuților ca fiind un schimb de bucurie și de timp plăcut împreună. Vă oferim de mâncare, cazare, utilitățile de care dispunem; cu alte cuvinte, vă primim cu drag în casa noastră și vă oferim încrederea de a împărți cu voi spațiul personal și viața noastră de zi cu zi, și așteptăm în schimb ajutor și responsabilitate. Totodată, suntem conștienți că între noi pot exista diferențe cărora nu toți le pot face față ușor, astfel că, așa cum sunteți liberi să plecați oricând simțiți că ați ajuns într-un mediu nepotrivit, tot astfel gazdele nu pot fi obligate să locuiască în casa lor cu persoane alături de care se simt inconfortabil sau care nu dau dovadă de bun simț și respect.

Reguli:

Ca în orice loc în care se întâlnesc oameni din culturi și cu experiențe de viață diverse, considerăm că este nevoie să fie cunoscute câteva reguli de bună conviețuire:

– musafirii, prietenii, voluntarii, adică cei care trec pragul acestei case pot folosi bucătăria mare, baia pentru oaspeți, terasa, curtea și livada, pot sta și la cort, dar și în cele două camere libere (în funcție de numărul celor prezenți). Păstrarea sau refacerea curățeniei și ordinii inițiale este de bun simț.

– sunteți liberi să folosiți vesela, tacâmurile, cratițele atunci când doriți să gătiți.

– întrebați înainte de a culege legume din grădină sau solar.

– dacă folosiți unelte, scule sau lucruri de orice fel, vă rugăm să anunțați, iar după ce vă terminați treaba cu ele să le puneți acolo de unde le-ați luat.

– încercați să aduceți cât mai puțin plastic și să produceți cât mai puțin gunoi.

– dacă aveți unele neclarități, nevoi sau vă deranjează ceva, spuneți, nu așteptați ca lucrurile să se rezolve de la sine.

– treburile zilnice pentru voluntari durează cinci ore pe zi, cinci zile pe săptămână, de la grădinărit, construcții diverse, până la crăpat și clădit de lemne. În plus, fiecare dintre noi se va ocupa de spălatul vaselor și de curățenia de după mese. Desigur, munca va fi adaptată după puterile și abilitățile fiecăruia.

– încercăm să mâncăm în același timp ca să nu punem masa/gătim de mai multe ori decât o facem oricum împreună.

Ne bucurăm și e extraordinar să vă avem alături și sperăm să vă simțiți bine în casa și spațiul nostru.

Vă așteptăm cu drag și sunteți bineveniți!

P.S. Alcoolul în exces, drogurile, violența și rasismul nu sunt tolerate în acest loc."

Mai există un formular care e bine să fie trimis voluntarilor înainte ca ei să vină din țări străine, ca să îl completeze cu datele lor, cu număr de contact al familiei, cu poză, detalii despre asigurarea medicală etc.

Alegerea prietenilor

Am auzit cândva această poveste[1]:

Se spune că a fost odată un rege tare înțelept, dar, de bătrân ce era, într-o zi a murit. În ziua ce a urmat, vistiernicul, omul de bază de la palat, a venit la fiul regelui, spunându-i în taină:

– Măria ta, tatăl tău, înainte să moară, mi-a lăsat o povață pentru tine, căreia i-a venit vremea. Tatăl tău a fost

1 din *O mie și una de nopți.*

foarte bogat, mai bogat decât crezi sau decât știe lumea întreagă. Acum, toată această bogăție ți-a rămas în grijă. Dacă dorești, vei urma ceea ce tatăl tău m-a învățat să te sfătuiesc în acest moment important.

Tânărul rege, cuprins de emoții, asculta curios. Vistiernicul continuă:

– În scurt timp, vei da câteva petreceri mari cum nu s-au mai văzut și îi vei invita pe toți cei care sunt în preajma palatului. La finalul fiecăreia dintre ele, când invitații se vor pregăti să plece, le vei mulțumi că au venit, apoi le vei da aur în dar, atât cât vor putea duce în brațe. Nu-ți fie teamă, este destul!

Tânărul rege era uimit de plan, dar știa câtă încredere avuse tatăl lui în acest om, care i-a fost toată viața cel mai bun sfătuitor.

Zis și făcut: petrecerile se țineau lanț, bucatele și vinul parcă nu se mai terminau, iar oamenii plecau la casele lor încărcați de aur. Invitații noului rege erau tare bucuroși pentru darurile primite, dar se dusese vorba cum că acesta ar fi nebun și că astfel va prăpădi în scurt timp averea regatului. La finalul uneia dintre petreceri, însă, lucrurile s-au schimbat. Noul rege, sfătuit de vistiernic, se ridică înaintea oamenilor și spuse:

– Dragii mei, vă mulțumesc pentru că ați venit din nou ca să petrecem împreună, dar din păcate nu a mai rămas aur ca să vă dau, pentru că acesta s-a terminat. Vă aștept însă, și săptămâna viitoare să veniți, căci de-un pahar de vin tot vom mai găsi prin beciuri.

Oamenii au plecat dezamăgiți, fără aur.

La următoarea petrecere s-au arătat puțini, foarte puțini, dintre care unii chiar au adus înapoi aurul primit, spunând regelui că-i vor fi alături și la greu. I-au adus aurul înapoi ca să-l salveze din sărăcie, spunându-i să-l păstreze pentru zile grele.

Atunci vistiernicul veni la rege și îi spuse:

– Nu-ți fie teamă, aur mai este destul, dar cel dat oamenilor la petreceri a fost prețul plătit pentru a-ți găsi adevărații prieteni. Aceștia de față sunt oamenii cu care poți pleca în lupte, aceștia sunt oamenii care îți vor fi mereu aproape. Adevărata petrecere se dă astăzi, alături de ei!

În cazul meu, aproape toți au înțeles și au revenit, nu cu aur, ci cu inima deschisă și înțelegere pentru felul în care eu doream să trăiesc. Schimbul acesta implică și energie. Oamenii vin, oferă, dar și iau. Eu la fel, iau din energia lor, ofer energia mea, pe lângă toate celelalte. Am observat, mult mai pronunțat aici, la țară, că există un fel de lege a echilibrului naturii, pe care e foarte ușor să o încalci în oraș. La sat ești mai conștient de ea, astfel că, dacă o încalci, o încalci cu bună știință. Dacă te-ai mutat la țară și ți-ai deschis ușa către oameni, iar ei dau buzna ca să ceară, ca să-ți consume energia și o mie de alte lucruri, aceasta se întâmplă pentru că tu o permiți.

Rupt de lume?

Într-o zi, am scris următorul mesaj prietenilor de pe social-media:

„Știți, unii cred că mutându-mă la munte m-am rupt de lume. Dar, în realitate, legăturile puține și fragile de la oraș s-au transformat aici în prietenii multe și puternice, aproape ca într-o mare familie. De când stau la țară, am întâlnit și am găzduit o grămadă de oameni și e extraordinar să am atâția prieteni. Sunt sute. O să ziceți că ăia nu-s prieteni, dar ce discuții adânci am avut cu unii dintre ei, credeți-mă că alții nu le au niciodată cu nimeni. Prin ei, mă simt legat de atâtea locuri în care n-am fost nici măcar cu gândul.

Uneori, poți asculta o melodie care să te inspire, sau vântul și frunzele, și să realizezi că ești cumva peste harta lumii și-o privești de sus, apoi pui degetul pe ea la întâmplare și într-o secundă ești acolo, dar să te legi de atâția oameni, atât de diverși?

Vă vine să credeți sau nu, ori ați zice că am luat-o razna (și asta e posibil), dar de când trăiesc într-o căsuță din lemn de la capătul lumii, am avut în ea Brazilia, Hong Kong-ul, Canada, Franța, Jamaica, Marea Britanie, Germania, Belgia, Italia, Olanda, Danemarca, China, Australia, SUA, Cehia, Rusia, ... și mai toată România, pentru că n-am chei la uși. Am avut în casă imaginea acestor locuri și nu din poze, ci din povești. Am mâncat cum se mănâncă acolo, am trăit, cumva, ceea ce trăiesc și ei, am cântat cântecele vieților lor și asta m-a schimbat. M-am lăsat dus în lumea lor, aducându-i sau lăsându-i pe ei să vină în lumea mea. Uneori a fost obositor, din cauza fenomenului de Gară de Nord, dar a meritat. Partea și mai frumoasă e că s-au împrietenit și între ei. Mi se spune Facilitatorul!

Îmi vin străini în casă, pentru că ușile sunt deschise, și apoi din străini pleacă prieteni.

Intru în curte și mă trezesc ba în Jamaica, ba în Italia. Ies din curte și intru într-o altă lume, la fel de minunată și pură, a satului.

Câți nu-s rupți de lume în oraș? Aceleași figuri în fiecare zi, aceleași povești, același televizor, același job, aceiași colegi, aceleași probleme și frici. Merg pe stradă printre mii de oameni, dar știu că sunt singuri.

La țară, la țara mea, e mai în fiecare zi o altă lume din o mie de motive.

Așadar nu ține de loc, ci ține de ușă, a casei, a sufletului, dacă-i încuiată sau dacă-i larg deschisă... fie în mijlocul pădurii, fie în centrul Londrei.

Dacă te simți rupt de lumea asta plină de lacăte și zăvoare, oriunde-ai fi, deschide ușa și scoate nasul. Sigur te va pișca cineva de el!"

Casa și satul au devenit mai frumoase pentru că atât de mulți oameni au venit aici. Fiecare om care trece pragul casei lasă în urmă ceva, de la povești interesante și până la ajutor, toate importante deopotrivă. Au venit mulți, am cântat, am dansat, am gătit, am povestit, ne-am plimbat, și câte și mai câte.

Nu de multă vreme, pentru a doua oară, la casa nouă, m-au vizitat Ioan Tomșa cu soția lui, doamna Doina (singurele nume din carte care sunt reale, pe lângă Mircea din Roșia) și cu alți prieteni, din Maramureș, de la Sighet, căruia i-am promis că „îl bag în carte", mai ales că a dat patru bidoane de horincă. Ne-am cunoscut în Londra și am rămas prieteni. M-au vizitat la ambele case și mă așteaptă la ei de doi ani de zile, iar eu tot nu reușesc să-mi fac vreme. Când am închinat horinca adusă de el, a zis în glumă:

– Bacea (pentru că așa ne alintăm), mă bagi în carte?

– Te bag în carte, Bacea! Hai noroc! după care am fugit să notez asta pe un carnețel ca să nu uit, și iată-l aici..., nemuritor. Vezi ce poate face pruna?

Printre cei care au trecut pragul casei mele, au existat și oameni care aveau nevoie de ajutor. Oameni care nu înaintează, care vorbesc numai despre trecut (fără planuri, fără acțiune pentru viitor), ori care au fost răniți într-un fel. Am avut parte și de ei, și mă bucur că au plecat de la mine cu fața mai senină. Multe am mai văzut (cu alți ochi) de când m-am mutat la țară.

Foarte puțini oameni trăiesc în realitate. Majoritatea își ocupă mintea cu diverse gânduri, vorbesc mult, ascultă radioul sau privesc la televizor, fie creierul le transmite semnale de oboseală și somnolență, pentru a ține gândurile în pauză. Tu cât timp petreci cu tine în fiecare zi? Meditația te pune în realitate, în calm, ca să rezolvi lucrurile. Viața e bine să fie pusă în ordine, lucrurile spuse, spovedite, problemele rezolvate, astfel încât să ajungem să trăim cât mai mult în realitate, cu mintea limpede. Nu cunoști aproape nimic despre tine, însă cunoști o grămadă de lucruri inutile. Cunoști abilitățile tale sau faptul că poți să sari peste o groapă. Dar cine ești tu? De unde vii și de ce? Habar nu ai. Ești mai frământat de politica sistemului care îți asigură într-o măsură hrana trupului, decât de energia care îți asigură hrana sufletului. E mai important să trăiești în „siguranță" până la moarte decât să cauți drumul spre sine? Împrietenește-te cu tine!

Pe vremuri, predictibilitatea viitorului era la ordinea zilei. Știai ce vei munci, știai cu cine te vei căsători și visul suprem era pentru băieți preluarea gospodăriei de la părinți, iar pentru fete nașterea copiilor. Libertatea era limitată, dar, datorită lipsei de deschidere, asta nu reprezenta o problemă. Viața în sine era o luptă pentru supraviețuire, concentrată pe nevoile primare. Astăzi, venind din oraș către sat, comparația este inechitabilă, dar libertatea are alte dimensiuni. Când trăiam în Hunedoara mă simțeam mic, mărunt. Când am ajuns în Londra mi-am dat seama că puteam cuprinde, în diverse moduri, întreaga Românie, iar asta nu s-a mai schimbat de atunci, deși acum trăiesc într-un cătun. Ba mai mult, plaja de acoperire s-a mărit, datorită cărților mele, rețelelor sociale, musafirilor cosmopoliți și propriei voințe.

A doua casă

Trecuse un an de când eram la Peștera, dar gândul meu a rămas tot la munte, la peisajele alpine, la șurile presărate parcă peste coamele ba înverzite, ba înzăpezite. În vara lui 2017, după ce mai mulți musafiri m-au întrebat dacă nu mă gândesc să vând casa, am decis să caut o alta, mai sus, mult mai sus, iar din vânzarea acesteia să mai câștig și niște bani.

Nu mi-a trebuit decât să iau decizia de a vinde și de a porni din nou la drum, apoi tot acest episod parcă s-a rezolvat de la sine în foarte scurt timp, dar a venit o altă misiune, aceasta din urmă dificilă. Găsirea unei alte case, nu oricare, ci una care să întrunească mai multe condiții, acum știind exact nevoile mele (izvor de apă, cel puțin un hectar de teren, acces ușor, peisaj de munte, livadă, șură, vecini buni, distanță între case, curent electric).

Cumpărătorii casei de la Peștera ziceau că se vor întoarce ca să se mute în trei săptămâni de zile. Puteam sta acolo cu ei și peste acele trei săptămâni, dar mi-am pus în minte să găsesc o altă casă până atunci. Am pornit la drum chiar a doua zi. Aproape toate cele trei săptămâni, zi de zi, de dimineața până seara am colindat sat după sat. Partea de după Brad, către Arad, apoi Țebea, Vața, Bulzești, Ciungani, Gurahonț și pe Mureș înapoi, Săvârșin, Petriș, Boz, Gialacuta, Furcșoara. Ghelari și satele de mai sus și de la sud-est de Hațeg, sud și nord de Orăștie, Toplița Mureșului, Certeju de

Sus, Vărmaga etc. Deja trecuseră mai bine de două săptămâni, iar eu nu găseam casa mult dorită. Întrebam prin toate birturile satelor, căutam pe internet, opream oameni pe stradă, făceam un fel muncă de agent imobiliar. Chiar îmi spunea un agent imobiliar că, după tot acest drum bătut, aş fi putut aduna un frumos dosar de agenţie imobiliară cu proprietăţi de vânzare.

În ultima săptămână am început să caut şi mai insistent. Mă trezeam devreme şi porneam prin sate. Am luat drumul Abrudului. Şesuri, Curechiu, Bucureşci, Buceş, Stănija, Mătişeşti, Buninginea, Ciuruleasa etc.. Într-o zi, mai pe final, m-a bătut gândul de întoarcere la Buceş, ştiam că pe acolo n-am văzut chiar tot. Am luat cu mine băiatul unui prieten din Alba Iulia, care era venit la Peştera în vacanţă, şi duşi am fost. Am căutat din nou peste tot prin comună, am întrebat oameni, dar n-am găsit încă ceea ce căutam.

Am dat de o pizzerie între dealuri, undeva pe un drum unde nu te aşteptai să găseşti aşa ceva, într-o intersecţie unde ne-am oprit ca să mâncăm, culmea, nişte virşli. Priveam obosiţi indicatorul către un drum care ducea spre un sat aflat la zece kilometri distanţă. Mărin, care tocmai mânca o pizza cu familia lui acolo, şedea la o masă distanţă de noi. După ce i-am cerut o brichetă ca să-mi aprind ţigara de după virşli, l-am întrebat dacă nu ştie case de vânzare în acea direcţie, dar să fie sus, undeva. După ce s-a gândit puţin a răspuns afirmativ, dornic fiind parcă să ne arate locul în care şi el trăia, şi după ce am terminat de fumat am pornit, noi în urma lui pe drumul şerpuit, pe care de-o vreme merg din timp în timp către oraş.

Am ajuns în dreptul unui bar, unde l-am aşteptat puţin, iar de acolo am luat-o pe un alt drum, mai îngust, către o casă care nu era ceea ce căutam. Apoi mi-a spus că ar mai fi una, mai sus, ultima casă, dar că nu are rost să mergem acolo, fiind un loc prea pustiu și părăsit. Auzind acestea, am știut că descria ceea ce căutam eu.

– Haide să mergem! i-am spus.

Am urcat pe niște curbe strânse, am lăsat în urmă ultimele case și în final am ajuns, pe asfalt, la ea! Casa mult visată era acolo, în fața mea. Iarba și urzicile crescuseră în unele locuri până în dreptul geamurilor. De fapt erau două case și o șură imensă, cu gardurile rupte, în spate cu o livadă al cărei capăt nu se vedea, iar pe teren curgea un mic pârâiaș. Am urcat pe târnațul uneia dintre cele două case, și-am văzut din nou infinitul, acela pe care l-am văzut și la Țarina, departe, peste munți și văi.

„Asta e! mi-am zis. Asta e casa mea!"

Am contactat proprietarul, ne-am întâlnit, am făcut un contract, i-am dat un avans și m-am mutat în câteva zile. În case era o mizerie de nedescris. Tavanele erau crăpate și pe alocuri căzute, mobila putredă, scheletele de șoareci zăceau ascunse pe după mobilă, sticle sparte, în beci urme de copite de vaci printre gunoaie.

Dincolo, la cealaltă casă, erau doi voluntari din Spania, pe care i-am adus după mine. Am adus și câinii și motanii. Dormeam pe o saltea, pe jos, paturile găsite acolo le-am ars, fiind pline de molii și alte viețuitoare. Odată, într-o dimineață, m-am trezit pe salteaua pusă pe jos, iar unul dintre motani rupea oasele unui șoarece la două palme de nasul meu. Împreună cu voluntarii și alți prieteni veniți în ajutor, am curățat casele, din beci și până în pod, asta fiindu-ne ocupația în următoarele două săptămâni. A urmat un an de zile de muncă. Am făcut, pe lângă izolații și zugrăveli, instalație electrică nouă, sobe și hornuri, izvor cu apă prin cădere, trepte prin curte, sute de metri de gard, coteț pentru găini, grădină și solar, intrare de la asfalt săpată cu escavatorul etc.

Acum, când scriu, casele sunt renovate. Am zugrăvit sau construit, mobilat și utilat, trei dormitoare, două băi, două bucătării, toate funcționale.

Vecini

Iarna trecută, când deja se lăsa noaptea devreme peste sat, iar în liniștea întreruptă doar de lătratul câinilor uneori, mai că auzeam scârțâitul fulgilor de nea atunci când se așezau ușor peste pătura albă și groasă de pe pământ, ieșeam de vreo trei ori pe zi în curte ca să curăț cărarea dintre case.

În fiecare vineri, după lăsarea nopții, liniștea și întunericul deplin erau sparte de camionul vecinului, un fel de Moș Crăciun, care dădea prin câteva claxoane startul party-ului de weekend din capătul lumii. El vine la casa părintească vinerea și pleacă sâmbăta seara în aproape fiecare sfârșit de săptămână. Cel puțin așa a fost până acum. Uneori mă lua prin surprindere, pentru că nu mai țineam rândul zilelor. Casa lui se află ceva mai sus, în stânga drumului. Mai sus de noi nu mai locuiește nimeni, în afară de lupi, vulpi și doamna pădure.

Dar vinerea, ce să vezi... în urma camionului deja parcat se apropiau luminițe de lanterne, alți vecini bucuroși, prin zăpadă, suind la deal, la locul în care, spun ei, se întoarce uliul. Am urcat și eu, alături de ei, apoi am coborât spre luminile aprinse ce licăreau prin curtea vecinului și prin fulgii care ne intrau în ochi, în timp ce povesteam deja de-ale săptămânii ce tocmai era pe cale să se încheie. Ajungând în bucătăria în care tocmai se pornea focul, găseam pe masă păhărele care erau umplute pe rând cu pălincă din aceea bună și făcută anume parcă pentru serile de iarnă grea. Apoi, pe cum se încălzea, mai aruncam de pe noi câte o haină. Uneori, stând acolo, îmi treceau prin minte imaginile străzilor din centrul Londrei de vineri seara, unde mii de oameni ba umblau în goană, ba cântau pe lângă baruri, și ropotul acela interminabil de voci printre bârâieturile mașinilor care nu încetau să circule ca albinele pe fagurele scos din stup. Aici la munte, aproape acoperiți de zăpadă, în liniștea nopții, în același timp cu forfota din marile orașe, niște oameni cu voie bună și suflet mare, închinau câte un pahar în sănătate și pace.

– Hai noroc!

Alteori treceam valea la alt vecin, unde eram primit cu o masă ca de nuntă, ori măcar la o cafea și voie bună. Peste tot am fost bine primit și îmi e drag de toți în egală măsură.

Ce vecini! Ce noroc pe mine! De câte ori am stat așa, la poveștile de lângă sobă, c-am băut cu toții mai mult sau n-am prea băut, întotdeauna am purtat discuții productive, am râs sau ne-am împărtășit gândurile, fără vorbe urâte, fără certuri, fără bârfe, fără răutăți. Chiar de activitatea noastră de iarnă a serilor de vineri pare a fi una prea măruntă, de fapt, în locul ăsta din care ca să cobori la bar după țigări și să urci înapoi prin zăpadă îți ia vreo două ore, aceste mici petreceri feciorești au devenit un fel de sărbători sfinte de iarnă. Oricum, a vorbi de rău pentru alții și despre alții e o îndeletnicire care vorbește ea însăși despre tine. Ideal ar fi să vorbim cu toții cât mai puțin despre ceilalți, și mai mult pentru noi. Când afirm că „Oamenilor le este frică în întuneric!”, de fapt, afirm voalat cum că mie îmi este frică de întuneric. Când aduc în fața unor oameni răutăți despre alți oameni, nu fac decât să îmi echilibrez nevoile și frustrările mele. Plus că dacă eu mă înțeleg și m-aș înțelege minunat cu X, iar Y l-ar vorbi de rău pe X, există șansa ca pe viitor să nu mă mai înțeleg bine cu niciunul. Așadar, am avut mare noroc de vecini echilibrați și buni. Ce bucurie iarna, prin nămeți, să ai oameni, în pustiul ăsta, care să-ți lumineze viața!

Cât despre răutatea unora din sate, pentru că peste tot există oameni și așa, și așa, cred că aceasta vine din faptul au fost mințiți și păcăliți o viață întreagă de către politicieni și șefi, alegând mai apoi să acționeze într-un mod defensiv în relația cu ceilalți. De aceea când vii înaintea lor cu abordarea „Haide să facem ceva împreună!", unii dintre ei sunt reticenți și neîncrezători, lovindu-se de necunoscut. Desigur, depinde foarte mult și de zonă, dar la început se pare că nu peste tot e simplu să construiești lucruri împreună cu comunitatea din care faci parte. Încrederea se câștigă cu timpul.

Apoi, unii nu pot să-și arate frumusețea fără să-și fi găsit în prealabil un sens sau pierzându-și sensul. Atunci când sensul s-a pierdut sau n-a fost găsit, e nevoie de o umplere a acelui gol cu ceva care este în cele mai multe dintre cazuri de energie joasă. Însă atunci când omul își găsește sensul, el începe să dăruiască (să pună suflet) și asta îl face frumos. Dacă nu ai un scop în viață, viața îți este goală, nefericită. Dacă nu lucrezi la ceva, dacă nu îți canalizezi energia către a realiza ceva, simți că nu trăiești, pentru că într-adevăr nu trăiești prezentul. Cel mai ușor mod de a aduce sensul în mintea și inima oamenilor care l-au pierdut sau nu l-au găsit încă, este prin a-i încuraja să devină ei înșiși exemple despre care credeau că nu există și să devină vizibili prin ceea ce fac. Se poate!

Nu da lecții sătenilor. Ei îți pot da ție lecții, ei te pot ajuta mai mult decât îi poți ajuta tu, cel puțin o vreme după ce te-ai mutat la țară. Iar asta poate fi o bucurie pentru ei, să-i lași să îți ofere. Noi venim din orașe cu gândul că le știm pe toate, dar avem multe de învățat de la oamenii locului. Decât să ne dăm rotunzi în nuanțe de gri, mai bine să ne încurajăm unii pe ceilalți și să creștem împreună. Cu cât e fiecare mai fericit și mai bine, cu atât satul devine mai frumos și mai colorat.

De ajutat, cel puțin aici unde stau eu, până acum ne-am ajutat reciproc. Am avut și aventuri cu vecinii, cum ar fi de exemplu vânzarea unei vaci și mersul cu ea la vale în miezul iernii noaptea, prin zăpezi.

Există un tip de reacții și judecăți, oarecum opuse față de cele de mai sus, din partea vecinilor. Aceștia, cel puțin din Apuseni, se pare că se bucură foarte mult de vecini noi. Problema e aceea că ei te îndeamnă, ca și toți ceilalți, să trăiești așa cum au fost ei învățați să trăiască. Te laudă și te apreciază dacă te găsesc strângând prune, tăind lemne, construind garduri sau reparând casa. Dacă nu faci astfel de activități, în cele mai multe dintre cazuri, încearcă să te convingă să le faci, ca și cum ăsta ar fi singurul drum de urmat aici, la țară. Însă peste ani s-ar putea să regret faptele mele dacă țin să nu supăr pe nimeni sau chiar să caut apreciere. Dacă m-aș fi ocupat de toate câte se pot face în jurul casei, această carte nu ar mai fi existat.

Un proverb chinezesc spune așa: „Iubește-ți vecinul, dar nu da jos gardul!”

7
HRANĂ, GRĂDINĂ, ANIMALE

HRANA

Dacă e să scriu despre hrană, vreau să amintesc și despre hrana sufletului, nu doar despre cea a trupului. Nimeni nu spune că bătrânii care au trăit mult și au mâncat sănătos (cu mai puțină carne) au ținut toate posturile. Din câte am observat, în zilele noastre oamenii satelor nu mai țin posturile și nu pun foarte mare preț pe calitatea alimentelor; nu prea vezi casă în care să nu se consume sucuri acidulate și o grămadă de produse de la supermarket. Chiar dacă, după cum spun unii, nimic nu mai e curat ca altădată, postul curăță organismul de toxine, dar și mintea de gânduri apăsătoare. Hrana nu vine doar din mâncare, ci și din spiritualitate, ca energie, ca bucurie a sufletului, aducând limpezime minții și claritate în gândire, odată cu respectarea posturilor și curățarea trupului.

Așadar, nu curățarea trupului este scopul final, ci trezirea și deschiderea minții, căci altfel, de ce ai trăi mult și bine în întuneric?

Postul înseamnă renunțarea pentru o vreme la carne, lapte, ouă, brânză, alcool, țigări etc., miercurea și vinerea la ulei, iar la țară este mai ușor de trecut această perioadă în liniște și pace pentru curățarea trupului, sufletului și minții. Spune o vorbă cum că după post gândești mai limpede și mai clar, și că de fapt asta ar fi ideea de bază a ținerii postului, nu atât pentru trup, cât pentru lumină. Ne-am obișnuit să avem prea mare grijă de trup și prea multe temeri pentru sănătatea lui, dar de minte și suflet câți se mai ocupă?

Cel mai simplu e să te lași de fumat când înfigi mucul de țigară în scrumul din scrumieră, să renunți la dulciuri când ai burta plină de prăjituri sau la alcool când ești amețit de băutură. Greu este să renunți atunci când îți este poftă, foame, sete.

Specialiștii spun că după consum moderat de alcool, ceea ce înseamnă foarte puțin, în comparație cu ceea ce se întâmplă în realitate pe la noi, ficatul are nevoie de timp pentru a se reface complet. Postul curăță și reface tot organismul.

Credincioșii zilelor noastre aleg cea mai simplă cale, dar nu și cea mai bună, de a respecta o mică parte din poruncile religiei după care se ghidează prin viață: Să nu lucrezi duminica! Să nu lucrezi în zi de sărbătoare pentru că e mare păcat! Mă întreb de ce nu spune nimeni să te rogi în ziua de Paște, să dăruiești ceva, orice, să stai zece minute în liniște și să te gândești la cineva drag care nu mai e și, totodată, să renunți la ceva ce-ți dăunează. Să nu lucrăm! e cea mai simplă și „profitabilă" poruncă biblică ce poate fi respectată dintre toate cele câte sunt date pentru sărbători.

Respectarea propriului trup prin respectarea unor reguli și credințe ar trebui să fie parte din stilul de viață al omului. Altfel e ca și cum bei alcool peste măsură șase zile pe săptămână, apoi duminica lași ficatul „să respire". În acest mod, nu putem vorbi nici măcar de refacere, ci eventual de o scurtă pauză. La fel e și cu fericirea lăsată pe weekend.

Hrana sufletului sunt natura, pacea, bucuria, iubirea

Rugăciunea pentru sine nu este atât de puternică precum cea pentru ceilalți, atunci când ne rugăm unii pentru alții. Meditația sau rugăciunea nu au nevoie de motivări, iar liniștea venită odată cu ele nu trebuie înțeleasă sau explicată. Concentrarea pe curgerea naturală a respirației, menținerea conștientizării și revenirea asupra ei atunci când îți fuge mintea de acolo, apoi conștientizarea și observarea sentimentelor, senzațiilor, sunt activități care aduc numai bine minții omenești. Meditația și rugăciunea aduc ordine în gânduri, chiar rezolvarea problemelor, ajută omul să renunțe la rele.

Mănânc sau mă hrănesc?

Pe o bătrână din sat, în zile de post, am găsit-o mâncând dude negre. Le mânca de pe jos, coapte și sănătoase, pentru că nu ajungea la cele din pom. Atunci era vremea lor. În același timp, alții mâncau produse din supermarket. Natura îți dă ceea ce ai nevoie acolo unde ești.

Căutând a doua casă, am umblat prin multe sate. Sus, pe un deal mare, vizitând una dintre ele, am ridicat capacul unei fântâni. Apa era limpede ca lacrima. O femeie trecută bine de șaizeci de ani, vecina casei, care îmi prezenta proprietatea de vânzare, s-a apropiat și mă îndemna să scot apă ca să beau. Am întrebat dacă bea lumea de acolo în general și dacă e bună.

– Apăi cum să nu fie bună? zise femeia. Bătrâna asta, ce-o stat aici, numa' de aci o băut ș-o murit acu', la nouăzeci și doi de ani.

– Înseamnă că e apă bună, de-a trăit atât! am concluzionat eu.

– No, nu numa' apa! Baba, zise femeia, nu prea o mâncat carne. Rar de tăt. Nu era ca noi. Mânca mazăre, fasole verde, ori tăia felii de cartof și le punea la copt pă marginea sobei. Așa mânca! Mânca săraca așa, dar nu trăia rău, șî mai zâcea cătră mine: „Mă fată, după amiază, după mâncare, te pune jos! Pun-te jos, stai fată și te hodinește!"

Mâncarea observ deseori că nu e văzută ca o nevoie, ca un medicament, ci ca un produs de consum care înlocuiește satisfacțiile obținute de pe urma unor activități cărora nu li se acordă timp și energie.

Mi-am dat seama că în traiul bun este vorba mai mult despre echilibrul sufletului decât despre orice altceva și am înțeles că am luat-o razna de tot ca societate. Asta văd acum foarte clar, la țară. Uneori simt că e banal să evidențiez așa ceva, dar pentru unii sunt sigur că aceste rânduri contează. Se aruncă cu banii în stânga și-n dreapta. Se cumpără în neștire produse proaste, atât alimentare, cât și nealimentare. Se cumpără tot ceea ce e ieftin, ori are gust bun, culoare plăcută sau reclamă agresivă. Produse de proastă calitate, al căror preț de producție este incredibil de mic, stau frumos pe masa oamenilor. Parizere, salamuri, mere-burete, legume fără gust ș.a.m.d. Dacă stai să citești etichetele produselor din magazine, mai că nu mai găsești unul singur curat și natural.

Ni se pare că am evoluat, și chiar așa este. Odată cu evoluția însă, ți se pare firesc să ai belșug în frigider, dar nu tot siropul din magazine e sirop, nu toate roșiile din magazine sunt roșii, nu tot untul din magazine e unt.

Singura soluție sigură este aceea de a ne produce singuri mâncarea. E atât de important!

Unii ascund în fața domnilor de la oraș că grădinăresc și gătesc, acestea însă fiind unele dintre cele mai importante activități pe care omul le poate face pentru el și familia lui, mai ales în zonele lumii în care natura ajută atât de mult. Gândește-te la cei din țările în care nu există apă la orice colț de drum, unde nu există verdeață în orice curte, unde pământul nu este roditor, unde temperaturile sunt extreme. În aproape toată Europa, cel puțin, le putem avea cam pe toate, iar cu ceva disciplină în alimentație, prin post și prin abstinență în restul timpului, ne putem bucura sănătoși de alimente, chiar și de alcool.

Mâncatul de alimente pline de conservanți și coloranți, în mod conștient, nu este o sinucidere? Se spune că dacă te sinucizi nu te îngroapă preotul, dar dacă ți-ai distrus corpul, templul lui Dumnezeu, prin porcăriile pe care le-ai băgat pe gură, de ce nu se consideră sinucidere? Dar conservanții și coloranții pe care îi bagi pe gura copilului tău ce înseamnă?

Mai există un aspect important legat de alimentație și viață sănătoasă și anume ritmul biologic, care la țară poate fi respectat mai ușor, nedereglat de atâția factori externi ca la oraș. La țară, nefiind dependent de un program fix de lucru, somnul poate fi început devreme și trezirea tot devreme, mersul la toaletă se poate face la nevoie, mesele pot fi luate în tihnă, nevoile trupului pot fi satisfăcute într-un ritm lent, în armonie cu natura.

Cercetători, doctori, oameni preocupați de spiritualitate ne spun să ne trezim. Suntem bombardați de toxine, bacterii, modificări genetice, dar noi continuăm. Toate acestea, dar și substanțele chimice folosite pentru crearea alimentelor nu numai că pun piedici unui trai sănătos, dar ne obligă să deschidem ochii mai larg decât generațiile trecute, pentru că astăzi, din aceste cauze, nu mai este suficient să aplicăm terapii sau soluții pe care le-au folosit bătrânii în urmă cu zeci de ani. Lucrurile se schimbă de la un an la altul și mintea ne e tot mai încețoșată.

Ai băut vreodată câteva păhărele de pălincă unul după celălalt? Ai simțit cum te amețește? Ai fumat vreodată o țigară după o pauză îndelungată de fumat? Ai simțit starea imediată de rău? Ei bine, așa funcționează și altele, care nu neapărat sunt lucruri care îți intră în corp, bune și rele, ci îți intră în minte și îți modifică starea.

Mai vin unii și spun:

– Dacă nu mai beau alcool, nu mai fumez, nu mai mănânc ceea ce îmi place, pentru ce să mai trăiesc?

Acestea sunt și ele fericiri, în lipsă de altele, dar sunt atât de departe de sens, încât ne fură bucuriile naturale, sănătatea, conexiunile vii. Dacă ajungi să trăiești doar ca să mănânci, să bei alcool și să fumezi, cred că te afli într-o etapă tristă și lipsită de sens a vieții tale. Cred că un echilibru în toate și postul ar rezolva problemele minții care duc omul în această direcție.

Mai toți amatorii de ieșiri la iarbă verde trec mai întâi pe la supermarket după carne de grătar, sucuri acidulate și alcool, pentru că asta înțeleg ei prin „ieșirea în natură"; însă e atât de departe de natură această formă de socializare, mai lejeră alături de o sticlă cu alcool, la fel ca și gătitul pe aragaz. Una e să gătești pe foc de lemne, legume pe care le-ai privit crescând, le-ai îngrijit, le-ai udat, le-ai cules, le-ai curățat, le-ai spălat, ca într-o ceremonie, apoi, la final, îți pare firesc să mulțumești divinității pentru ceea ce ai primit, să mănânci în liniște, dorind să îți păstrezi atenția concentrată pe gusturi, pe proces, iar alta e să te așezi în fața televizorului și să mesteci în mod inconștient ceva gătit în grabă, de la supermarket.

Cam așa e și cu venitul în mijlocul naturii cu băutură, cu mâncare gătită rapid, fără creativitate, fără construcție, indiferent că ne referim la practic sau la spiritual.

Oamenii, în special la oraș, de multe ori simt nevoia unei spălări de tot și toate cele rele, dar, de fapt așa ar trebui să trăiască permanent, nu să o facă din când în când. Cum e mai bine? Să nu bei deloc alcool, sau să bei mult, apoi să faci pauză o zi pe săptămână? Oare alcoolul a fost lăsat pe lume pentru sănătatea ființelor, sau apa? Care apă? Cea de pe rafturile magazinelor și cea care le vine prin țevi ruginite, sau cea limpede și vie, de izvor? Se spune că apa este primul medicament. E în regulă să fii stresat cinci-șase zile lucrătoare, apoi să te odihnești în weekend? E destul? Ori n-ar trebui să duci o viață armonioasă în fiecare zi?

De unde vin viciile? Poate că greșesc, dar cred că oamenii se autodistrug în mod inconștient pentru că nu pot împlini rostul lor natural și pentru că nu pot fi Alfa; poate și din lipsă de libertate. Își găsesc ei înșiși defecte care, în mintea lor sau în realitate, îi îndepărtează de măreția pe care ar putea-o lăsa în urmă sau teama de această responsabilitate îi face să își ocupe viața cu tot felul de tâmpenii neimportante, iar în consecință natura îi lasă să se autodistrugă? Cred că natura pune în sufletul și mintea fiecărei ființe chemarea către a deveni exemplu, către evoluție, către descoperire. Dacă cineva nu are destulă energie pentru acestea sau din cauza a o mie de alte motive devine un răzvrătit, un tăcut, un timid, se umple de vicii care să îi ocupe timpul și mintea, apoi, încet și inconștient devine un fel de șarpe care își mănâncă coada.

Aici, la munte, învăț și de la animale. De câte ori văd pisicul venind acasă după zile de bătut cărări numai de el știute, uneori, mai rar, rănit după lupte pe viață și pe moarte, îmi spun că e mai bine să îi las libertatea de a trăi cu adevărat, chiar dacă această alegere a mea îi poate pune chiar viața în pericol, nelipsindu-l de șoareci, de păsări, de joacă, de alte pisici, de zăpadă, de ploaie, de frunze, de libertatea de a se cățăra în copaci și de dormitul pe iarbă la soare, adică viața concepută și lăsată pentru el de către natură, decât să-l țin închis într-un apartament pe al cărui geam să privească, ca la televizor, viața adevărată. La unii oameni e pe dos. Ei înșiși aleg să nu trăiască viața lăsată pentru ei de către natură, se închid într-un apartament, apoi privesc pe „geamul" atârnat de perete și băgat în priză, viața. Nici în siguranță n-aș putea spune că sunt. Pisicul gândesc că-i mai fericit așa, chiar de viața îi poate fi mai scurtă din cauza vreunuia dintre pericolele care-l pândesc la tot pasul, dar trăită intens, decât cu una lungă, privind pe geam.

Omul încearcă și reușește să supraviețuiască privind la televizor ceea ce natura a lăsat cu adevărat pentru el. Și de-o trăi mult, pentru ce? Ca să mănânce? Ca să bea? Ca să se uite „pe geam" la viață? Ori viața adevărată e atunci când îți cumperi mașină sau când primești un bonus la locul de muncă, apoi plătești un hotel mai scump în concediu? Unde e armonia, unde e respectarea ritmului biologic, unde e pacea? Unele lucruri nu se pot cumpăra, iar pentru unele răspunsuri la chemări nu va mai fi timp niciodată, dacă nu găsim timp acum.

Poți spune că folosești timpul liber ca să urmărești documentare și astfel televizorul îți este util. Pentru ce? Ai devenit specialist în ceva după sute de documentare vizionate? Ai ajutat lumea cu ceva prin asta? Nu cred că ele nu îți dezvoltă mintea, dar haide să fim serioși, poți să trăiești așa o viață întreagă, vizionând mii de documentare, dar poate la final vei realiza că n-ai urcat un munte, n-ai mângâiat un cal, n-ai simțit nimic, n-ai trăit.

Când să te mai bucuri de cer și de flori? Când să te mai bucuri de animale? Când să te mai bucuri că stai cu picioarele goale în iarbă? Când să te mai bucuri de răsărit și de apus? Când să te mai bucuri de un somn bun? Când să te mai bucuri de liniște și meditație? Când să te mai bucuri de tine, dacă nu acum? Când să-ți hrănești sufletul și trupul cu adevărat?

Somnul și odihna. Desigur că aproape pe toate le poți face atât la sat, cât și la oraș, dar la sat odihna, chiar și după zile obositoare, este deplină. Oamenii cred că somnul îi încarcă de energie, dar, de fapt, de odihnă avem cu toții nevoie, pe lângă somn.

Cred că și analizele medicale ar trebui făcute după zece zile de liniște în natură, nu după perioade stresante. Cineva spunea că acolo unde trăiești, în acel mediu, trebuie să faci analizele, dar acolo unde trăiești nu este neapărat mediul în care corpul tău e construit să funcționeze la parametri normali, în mod natural. Dacă inima ta dă rateuri într-un mediu bolnav, apoi, după o vreme de stat în natură, analizele arată că ai o inimă sănătoasă, care să fie concluzia? Ai nevoie de medicamente pentru a suporta stresul sau ai nevoie de o viață fără stres? Doctorii tratează după simptom, efect, dar cauza, de cele mai multe ori, rămâne. Am citit undeva că, în China antică, cei care tratau oamenii erau răsplătiți pentru pacienții sănătoși și nu pentru cei bolnavi. În prezent, doctorii primesc bani pentru pacienții bolnavi, astfel încât, fără ei, n-ar mai câștiga atât de mult.

E drept că inventăm obiecte care să ne facă viața mai ușoară, dar care va fi limita? Vom inventa aparate care să ne facă toată treaba, aparate care să ne ducă, gen scaune electrice cu rotile, cu ajutorul cărora să nu mai umblăm? Deja copiii orașelor abia dacă mai ies din casă.

Ca o concluzie, mâncare curată, tihnă, energie, odihnă, poți avea și la țară și, uneori, la oraș, dar la țară îți vin toate curgând, lin, natural.

ALIMENTE

Ceea ce mâncăm, ca hrană palpabilă, ar trebui să țină de înțelepciunea adunată prin evoluție. Aruncăm de multe ori privirea către ceea ce mâncau bătrânii noștri, crezând că dacă le vom urma calea vom ajunge ca ei, însă ei nu sunt nici pe departe un etalon, mai ales în comparație cu țările în care speranța de viață o depășește cu mult pe cea din țara noastră. Ca să știi să te hrănești corect înseamnă să înveți de la cei care au studiat acest domeniu.

Din câte am simțit pe propria piele, chiar dacă nu urmez un regim total sănătos, știu că există alimente care aduc energie trupului și alimente care consumă din energia lui. Dacă dorești să fugi de conștiință și realitate vei mânca produse care te vor obosi și te vor face să dormi sau să stai treaz într-o stare de somnolență. Dacă vrei să stai treaz total și să dormi când e de dormit, vei consuma alimente care îți ridică nivelul de concentrare și care îți încarcă „bateriile". Există o mare diferență între cârnați, cartofi prăjiți, dulciuri și cereale, fasole, salată verde.

La țară nu se mânca pe vremuri atât de multă carne ca astăzi. Nu era. Acum, în casele înstărite se taie și câte trei porci pe an, viței, găini, dar se mai și cumpără carne. Cineva spunea că bucătarul bun al casei îl cunoști după bolile care există sau nu în familie.

Găzduind atât de mulți musafiri la țară în ultimii doi ani, m-am săturat până peste cap de grătare. Ce mănânc? Dacă e natură, atunci să fie legume, fructe și ciorbe. Din câte am văzut, auzit, trecut prin viață, am învățat că cea mai bună hrană pentru noi, românii, sunt ciorbele.

Îmi este greu să păstrez o dietă perfect orizontală din cauza poftelor, a musafirilor și a vecinilor, dar aș putea. Sărbătorile, musafirii și vecinii aduc odată cu ele/ei și o grămadă de bunătățuri, iar diversitatea își face ușor loc în peisajul culinar al casei, dar păstrez totuși o limită.

Carne cumpăr din sat, pentru că oamenii cresc animalele acasă, desigur, cu cereale și lapte. Când merg în vizite, aproape de fiecare dată sunt servit cu jumere, ciorbe ori prăjituri. Am avut parte și de invitații la masă prin sat, unde platourile, supele, fripturile, deserturile și băuturile păreau a ține loc de meniu de nuntă, de mi-e și rușine să invit oamenii la mine la masă, pentru că n-aș putea să pregătesc atâtea preparate gustoase cum știu ei să facă.

De departe cea mai interesantă și gustoasă ciorbă pe care am mâncat-o în sat este una cu fasole verde uscată, cu afumătură și smântână, ardei iute și pâine, toate de casă. Fasolea verde, după ce este culeasă, este lăsată în pod, la uscat; când urmează a fi gătită este spălată mai întâi, opărită și pusă la fiert lângă afumătură și alte legume.

Despre pomana porcului nici nu îndrăznesc să încep a spune. Ar fi ca și cum te-aș invita la o mușcătură imaginară dintr-o lămâie. Am mai primit mămăligă cu straturi de brânză și tot felul de mâncăruri, tradiționale sau mai puțin tradiționale, toate foarte bune la gust.

Mi-am amintit de-o noapte de vară cu distracție și beție la discoteca de la cămin, pe la optsprezece ani, în Săvârșin. Pe la ora 3:00, m-am dus cu un prieten la el acasă, rupți amândoi de foame. A tot căutat el pe acolo, dar nu știa unde era mâncarea. După o vreme, în șoprul în care era amenajată bucătăria de vară, a deschis „duba" de la sobă, și ce să vezi: o tigaie mare, din aceea veche, de tuci, plină cu fasole frecată și cârnați, cu ceapă călită deasupra. Toată minunăția aceea făcută de bunica lui prinse scoarță de ziua și până noaptea. Am spart o ceapă roșie, am rupt din pâinea de casă și-am mâncat amândoi, acolo, pe niște butuci, toată bunătatea de delicatesă! Nu o să o uit cât voi trăi!

Mâncarea, dincolo de pofte și de gusturi, trebuie să-ți cadă bine. În copilărie ne cădea bine orice pentru că trăiam mult mai aproape de natural, de ritmul biologic și eram foarte tineri. Acum, mâncarea fie devine medicament, fie un supliment de falsă fericire.

Grădina

În fiecare zi, pe masa ta ar trebui să existe legume și fructe coapte în mod natural, bătute de vânt, udate de ploi, încălzite de soare.

Dacă stai să calculezi, după ce tragi linie constați că din punct de vedere financiar nu neapărat merită, dacă e să socotim timpul și efortul depus în grădină. Lucrând și pășind tot mai adânc în lumea grădinăritului, pe lângă zecile de treburi de pe lângă casă, lăsând intelectul și dezvoltarea minții undeva deoparte, mi-am trezit instinctele primare de supraviețuire, dar nu m-am lăsat cufundat definitiv în ele, în treburile mărunte, care, e adevărat, contează, ci am reușit să păstrez un echilibru între toate.

A cultiva mâncare e o parte frumoasă, utilă și chiar obligatorie, aș zice, a vieții, care nu este nici pe departe o îndeletnicire rușinoasă. Pe unii îi fac fericiți doar aceste lucruri de pe lângă casă, pe mine nu în totalitate. Astfel că, după ce am rezolvat treburile urgente pentru a putea locui aici (baia, de exemplu), mi-am făcut un fel de program, pe care îl mai încalc uneori, destul de flexibil și sănătos, care mă satisface: seara mă culc cât mai devreme, dimineața mă trezesc când mă trezesc, fără ceas, hrănesc câinii și las găinile libere, mănânc și eu, între timp îmi pregătesc o cafea sau un ceai, sau ambele, plus un suc de fructe, apoi mă așez la calculator și rezolv ceea ce am de rezolvat acolo, uneori într-o oră, alteori în trei sau chiar șase ore. După prânz, după un scurt somn de frumusețe, mă apuc de munca fizică, atât cât să îmi placă și să mă țină prins acolo, în diverse activități. Solarul și grădina tot acolo intră, la munca plăcută de după-masă.

Deși plantele comunică între ele și se ajută, iar în natură termenul de straturi sau livadă nu există, m-am făcut totuși cu un solar și o grădină. Am cumpărat un solar de 12X4m, căruia i-am construit lateralele, i-am adus apă prin țeavă îngropată, i-am ridicat trei straturi lungi, din scânduri, și le-am umplut cu pământ negru, iar mai spre toamnă i-am betonat cele două alei, din cauza noroiului ce se forma și mă făcea să port cizme de gumă tot timpul când aveam de lucrat sau de cules ceva acolo.

Grădina am arat-o în toamnă cu ajutorul unui vecin, cu plugul legat la boi, cărora trebuia să le țin direcția înainte, stăpânul lor îngrijindu-se în spate de plug. M-a rugat să îl ajut, să stau cu boii înainte, să țin direcția. El a rămas în spate, să se apese pe plug și să-l poziționeze pe rândul deja întors, ca să intre sub pământul rândului următor. Am plimbat vreo două ore boii imenși, dar atât de cuminți, oarecum pe același drum, dus-întors, prin grădină. Așa am început, de cu toamna. Primăvara a venit un alt vecin cu motocultorul și a „săpat" pământul, apoi am plantat legume cu ajutorul unor prieteni.

Primul an de grădinărit și singurul de până acum, când scriu, m-a încântat foarte tare. M-am bucurat de ridichi, salată verde, spanac, roșii, ceapă, ardei, busuioc, usturoi, dovleci, multă fasole verde, sfeclă, ceva varză, pătrunjel și altele.

Sunt convins că mulți dintre cei care vând legume la piață le stropesc cu tot felul de produse chimice, pentru a avea producție bogată și sigură. Despre comercianții mai mari sunt la fel de convins. Dacă vrei să mănânci sănătos, fie muncești ceva care să aducă bani și mai apoi ca să plătești un grădinar care să-ți producă hrana curată sub ochii tăi, fie o faci tu. Am amintit prima variantă pentru că sunt sigur că nu toți cei care doresc să se mute la țară își propun să se murdărească sub unghii, însă toți vor să mănânce legume curate din grădină.

De livadă și vie n-am avut timp încă, deși pomii fructiferi chiar și așa neîngrijiți mi-au oferit o grămadă de roade. Prune, mere, nuci, struguri, cireșe. Ar fi mult de lucru ca să aduc livada la capacitatea ei maximă, dar sincer să fiu, aceasta treabă nu este necesară în viața mea acum, așa că o las pentru când va fi vreme. Dacă le-aș face pe toate câte sunt de făcut sau se pot face pe lângă gospodăria mea, probabil că aș lucra de dimineața și până seara, iar eu nu pentru asta m-am mutat la țară. E bine să fac diferența între ce merită și ce nu merită să fac. Aș putea fi „răpit" de tot felul de treburi gospodărești pentru care mulți probabil că m-ar lăuda, dar eu sper ca în scurt timp să pot angaja pe cineva care să facă și acele treburi de care eu nu am întotdeauna chef. Munca la țară nu se termină. Ea devine apăsătoare atunci când devine obligatorie în fiecare zi.

Dacă plantezi roșii, pământul îți va da roșii. Ceea ce trimiți către exteriorul tău se va întoarce la tine. Ai grijă să plantezi ceea ce îți dorești să culegi! Ceea ce plantezi astăzi vei culege mai târziu. Gândește pe termen lung.

Animale

Stăteam într-o zi de vorbă cu un cioban care îmi spunea despre zilele lui de singurătate între oi și despre cum vorbea el cu casa lui care „plângea" de dorul oamenilor. Povestea despre zilele grele cu oile, atunci când venea furtuna, iar una fugea spre munte, alta spre vale și câteva în pădure. După ce le aducea pe rând acasă, obosit, ud și murdar din cauza căzăturilor de la fuga prin iarba udă, trebuia să le curețe și să le mulgă. Munca la animale multe se dovedește a fi mai dificilă decât credeam.

Cine se gândea vreodată că eu voi crește găini? Dacă o fi fost cineva, în mod sigur nu eu. Acum, le vizitez cotețul de câteva ori pe zi și îmi sunt tare dragi. Mai am trei câini, Măruca, Alba și Nera, și doi motani năzdrăvani, Silvester (devenit Silvestru) și Dănilă.

Eram pe cale să mă apuc de crescut capre. Mai mulți vecini mi-au cerut să-i las cu vacile la păscut în livadă, iar eu, neștiind încă pe atunci mersul lucrurilor, m-am gândit că ar fi fost mai bine să nu creez conflicte și să-mi fi luat niște animale care pască iarba, pentru a ține livada curată și pentru a avea lapte proaspăt. Când au auzit vecinii și unii prieteni, au început să mă încurajeze în cor pentru această idee „miorifică". Am ajuns, din discuții, la planul de a cumpăra capre din rasa Alba de Banat. Făceam tot felul de calcule, gata să plec în județul Arad după unele găsite acolo de cumpărat. Într-o zi, însă, m-am trezit la realitate! Laptele dat de aceste capre ar fi fost cel mai scump pe care l-aș fi putut avea aici, la țară. Ar fi fost nevoie de ele, scumpe și ele, apoi de gard electric, de saivan, de mâncare pe iarnă. Unde mai pui că trebuiau mulse de două ori pe zi și laptele depozitat undeva, ar fi trebuit cosit fân, uscat și pus bine pentru iarnă. Copitele caprelor trebuie curățate, ele îngrijite și tratate, apoi avut grijă în fiecare zi să nu le fure lupul. Astfel că, în cele din urmă, am lăsat un vecin să vină cu vacile la păscut, am primit lapte în fiecare zi, iar livada a rămas curată, „tunsă", fără niciun efort din partea mea.

De ziua sfinților Constantin și Elena, am omorât trei găini, pe butuc, tăindu-le gâtul cu toporul. Nu credeam vreodată că voi tăia eu animale. Motivul? Cu o săptămână în urmă, găsisem în cuib în total trei ouă. Aveam douăzeci de găini și un cocoș. Cele douăzeci de găini ar fi trebuit să dea cel puțin vreo treizeci de ouă într-o săptămână. Uneori, când auzeam câte o găină cotcodăcind, mergeam în cotețul lor, la cuib, să văd de ouă, dar găseam acolo vreo trei-patru găini și cocoșul. După o vreme, mi-am dat seama că mâncau ouăle. În acea zi de sărbătoare am pus eu ouă în cuib, ca mai târziu să găsesc trei găini în coteț, la ospăț. Mi-am spus că voi ruga pe cineva din vecini să le taie, apoi le-am mutat într-un alt coteț, în care dorm câinii, ca să le separ de celelalte. Știind că vor muri oricum, cumva ca să nu mai lungesc acel proces, le-am tăiat eu într-un minut pe toate trei, fără să gândesc prea mult. Apoi le-am ciupilit și le-am curățat de organe, găsind coji de ouă în gușile lor. Le-am tăiat bucăți și le-am pus în pungi, apoi le-am depozitat în congelator. După operațiunea asta, care nu mi-a făcut deloc plăcere, am găsit multe ouă proaspete în cuib, semn că am prins făptașele. Dacă găinile prind gustul de ouă proaspete, le mănâncă pe toate, tot timpul. Cu acest obicei se învață unele pe altele. A fost o experiență urâtă, dar cumva parcă naturală. De carnea lor nu m-am bucurat pentru că a fost ațoasă. În afară de supă, nu m-am ales cu altceva, așa că nu voi mai tăia niciuna. Le las să moară de bătrânețe, asta dacă nu se apucă și restul de mâncat ouă.

Un obicei bătrânesc de amintit aici, pentru că sună amuzant, ar fi, se zice, deși nu am încercat și nu voi încerca: dimineața, să bagi degetul în fundul găinilor ca să afli în mod direct care are ou și care nu. Cică, dacă ai simțit dimineața un număr de ouă, iar pe parcursul zilei găsești mai puține, atunci știi că fie le mănâncă un câine sau chiar găinile, fie că le ouă în altă parte decât în coteț, și astfel te poți apuca de cercetări.

Câinii. Pe toți trei i-am avut de mici. Măruca a fost prima, Alba a doua, primită din Alba-Iulia și e albă, iar Nera e puiul Mărucăi, din opt născuți. Într-o noapte, postam pe internet următorul text: „No, e 3 noaptea. Mă mai uit la stele, mai dau după câini, mai vorbesc cu un arici. Măruca mea frumoasă e în călduri. Aia și mai mică latră de zor. Motanul doarme liniștit în vârful patului. Nuntă-n sat, fără mireasă. Stelele luminează ca niciodată pleoapele-mi obosite. Greu să te găsești în postura de tată de fată, pentru prima dată. Stau cu fundul pe treptele reci de piatră, gata să apuc într-o secundă jumătatea de cărămidă din stânga mea. Fumez și încerc să străbat cu vederea mai bine prin noapte. Dacă n-ai fată, să taci! Mai aud câte o lătrătură, ba din vale, ba din deal. Au venit băieții. No, să mai aud că nu-i sănătos vaccinul, că nu-s buni doctorii. Peste trei săptămâni direcția la sterilizat. Până atunci, la 3 noaptea, cu mâna pe cărămidă, fumez, vorbesc cu ariciul, gata să dau după câini... că una-i Măruca lu' tăticu' ei!".

Până la urmă am scăpat-o. A făcut opt pui. De-abia i-am dat pe șase dintre ei. Unul dintre cei doi rămași a murit, Lupu, din cauză că nu l-am vaccinat, după lungi chinuri, tratamente cu perfuzii, tot felul de injecții și drumuri la oraș. Credeam că la munte nu au nevoie de vaccinuri, dar iată că bolile pot veni și pe talpa pantofului unui vizitator.

Acum toate trei sunt sterilizate. Asta e o altă discuție. Unii afirmă că animalele trebuie să trăiască în legea lor și trebuie să fie lăsate să-și urmeze ciclul natural. Dar cred că atunci când trăiești într-o comunitate, îți revine responsabilitatea atât pentru siguranța celorlalți, cât și pentru pui, iar când lumea e plină de căței abandonați, de ce ai lăsa să vină și mai mulți pe lume, ca apoi să ajungă cine știe unde, într-un lanț. Mai bine nu!

8
SURSE DE VENIT LA ȚARĂ

În cartea *Devino rege sau rămâi pion* am scris ceea ce știu despre a economisi, a spori, a acumula, a dezvolta. Poți continua toată viața să crești afaceri, să aduni tot mai mult, să devii liber pe plan financiar. În această carte, tot din experiența personală, scriu despre cum m-am oprit atunci când am conștientizat că aveam destul, apoi am început să trăiesc cu adevărat, așa cum de multă vreme am simțit că ar trebui să trăiesc și despre cum am devenit liber de tot, nu doar din punct de vedere financiar.

Vreau să spun că în urmă cu opt ani, în 2010, nu aveam altceva în afară de o mașină veche, iar dacă eu am reușit să găsesc în scurt timp soluții pe care pe atunci încă nu le aveam, cred că mulți alții pot la rândul lor găsi soluții citind, învățând, încercând, greșind, pentru a rezolva probleme de ordin financiar și chiar să prospere.

În urmă cu trei ani, eram prins în cercul în care mulți sunt prinși și astăzi și deși am fost judecat greșit, am ieșit la timp din cursa în care singur m-am băgat, pentru că mi-am dat seama că am adunat suficient. Aceasta este cheia, să te oprești la timp sau să scazi ritmul atunci când ai suficient. Spuneam în acea carte, în vremea în care eram foarte concentrat pe a face bani, că aceștia nu trebuie să devină un scop, ci o unealtă. Chiar și la țară, unele afaceri te pot lega prea strâns, de aceea este bine să dezvolți activități care îți fac plăcere și îți cresc valoarea, după ce vei fi ales domeniul potrivit pentru viața ta și ritmul ei. Nu mai fugi după bani, ci creează valoare!

Majoritatea celor de la oraș trăiesc aidoma unor roboți, dar dacă mă gândesc mai bine, în urmă cu multă vreme, oamenii care trăiau din vânătoare și agricultură sau cei care trăiesc în afara sistemului și taie lemne sau plantează legume toată ziua, au fost sau sunt tot un fel de roboți. Diferența constă în faptul că, prin unele activități întreprinse zi de zi, simți sau nu că trăiești frumos. Totul e să vezi clar, să-ți găsești calea, armonia, bucuria de a trăi!

Avem nevoie de un trai conștient, armonios, fericit. Stresul a existat și va exista mereu. El este util pentru supraviețuire și evoluție, dar există astăzi și stresul inutil de care e bine să scăpăm, ca mai apoi să putem canaliza energia noastră către lucruri constructive, către autocunoaștere, spiritualitate și oameni. Eliminarea nevoilor ce țin de urban, mărirea spațiului de trai, rearanjarea ratelor bancare, toate ajută la reordonarea vieții și eliminarea stresului inutil.

Ca să-ți poți canaliza energia către o activitate care să aducă și profit, pentru că avem nevoie cu toții de bani, ar trebui să știi de ce te-ai mutat la țară sau de ce vrei să te muți la țară. Din conștientizarea în clar a acestei decizii poate să apară și o idee potrivită de afacere.

Dacă te-ai mutat la țară ca să mănânci sănătos, poți vinde și altora ceea ce produci, iar activitatea de vânzare nici nu poate fi percepută ca afacere în sine, ci mai mult ca un dar prin faptul că oferi produse curate atât de greu de găsit astăzi.

Dacă te-ai mutat la țară ca să trăiești liniștit în natură, poți oferi și altora posibilitatea de a ți se alătura, contra cost, ca să se bucure și ei de liniște și de natură în casa și grădina ta.

Dacă te-ai mutat la țară ca să poți culege ciuperci sau plante medicinale, îi poți învăța și pe alții să facă asta, după ce înveți mai întâi să predai lecții în acest domeniu.

Nevoia de bani pentru a-ți satisface nevoile primare nu face rău, dar nevoia de bani pentru a-i cheltui în neștire pe produse inutile îți blochează mintea conștientă. Având bani poți face alegeri, îi poți ajuta pe alții, poți avea confort și o oarecare siguranță, dar când nu te mai poți opri, jocul devine periculos în special pentru sănătatea minții tale. Banii nu se termină niciodată!

Dacă te apuci de mici afaceri la sat s-ar putea să te lovești de răutatea unora care văd asta ca pe o formă neacceptată de trai în zilele noastre, din cauză că ei au fost educați să aibă un loc de muncă pentru toată viața și încearcă să te tragă pe linia lor. Unii vor spune că faci bani pe spatele altora.

Nu-ți irosi timpul și talentul. Creează! Dacă ceva din interiorul tău te cheamă, nu lăsa timpul să treacă și nu lăsa cercul tău de cunoscuți rămași între betoane să-ți încuie mintea cu ideea că în afara zidurilor n-ai avea din ce trăi.

Dacă fugi la țară ca să scapi de rate și datorii sau pentru că ești falit, nu știu ce să îți spun. Depinde ce poți să vinzi prin oraș sau ce poți să faci în continuare, direct după mutare.

Din ce trăiesc eu?

Am auzit destul de des afirmația următoare:

– Ei, da, dar tu poți, ai bani, nu te leagă un loc de muncă!

Ei bine, pot, pentru că eu am ales să pot și pentru că n-am urmat calea majorității, ci mi-am construit singur drumul către locul în care mă aflu.

Sunt sigur că te întrebi din ce trăiesc eu. Ca să încep cu începutul, oarecum inconștient, eu mi-am pregătit mutarea din vreme, construindu-mi o bază formată din active. Imobiliare, cărți și tot felul de afaceri care nu toate au legătură cu viața la sat, pe care acum le-am lăsat în urmă, conștientizând faptul că am făcut destul și îmi ajunge. Pe scurt, puteam să-mi iau mașină de fițe, dar am preferat să mă mut la munte. Acum, pentru că am asta oarecum în sânge și pentru că sunt conștient de faptul că e bine ca banii să vină din mai multe locuri, construiesc și aici, la țară, într-un ritm mai lent, o altă bază.

Caut soluții pentru a oferi în mod legal cazare, în principal artiștilor. Locul în care mă aflu nu se pretează sporturilor de iarnă și, în plus, nu doresc prea multă gălăgie în jurul meu, nici nu vreau să construiesc un hotel, dar mi-ar plăcea ca, cel puțin pe timp de vară, să am în jurul meu doi-trei pictori sau scriitori care să lucreze aici în liniște, contra unui preț satisfăcător pentru ambele părți.

Pe lângă asta, există pe peretele casei, lângă un panou cu regulamentul pentru cei veniți, o cutie frumos decorată folosită pentru a primi bani, iar textul de lângă ea arată așa, dar tradus în engleză:

„Dragi prieteni și vizitatori,

Vreau să vă spun că sunt foarte fericit să deschid ușa casei mele oamenilor de bună credință și mă bucur să facem împreună lucruri interesante în acest loc.

Sunt sigur că înțelegeți faptul că, pentru că o mulțime de oameni vizitează acest loc, într-un an de zile costurile lucrurilor mărunte și lucrurilor mari sunt suportate de cineva. Pentru a păstra activitatea de găzduire a prietenilor și voluntarilor, cred că este corect pentru noi toți să împărțim costul lucrurilor pe care le consumăm împreună aici:

– electricitate,

– internet,

– lemne pentru foc (lanț de drujbă și munca depusă pentru tăiat, crăpat și stivuit),

– detergenți și obiecte pentru toaletă, materiale de curățat și mașină de spălat,

– carburant și mașină pentru a aduce diverse materiale și alimente din oraș,

– hrană, gătit, grădină și îngrijirea animalelor,

– dispozitive electrice și uzura în general,

– lucruri care se deteriorează și se rup (filtre de apă, lenjerii de pat, mături, sobe),

– scule și materiale pentru întreținere,

– altele.

Toate acestea, într-un an de zile, costă mii și mii de lei.

Apreciez înțelegerea și împărțirea acestor costuri de către toți cei care ne bucurăm de acesta casă împreună.

Desigur, puteți susține acest loc și îl puteți ajuta să crească cu o mică donație dacă simțiți să faceți acest lucru.

Mulțumesc!”

Am ajuns la concluzia că foarte mulți nu conștientizează cât de multe se consumă sau se fac într-un asemenea loc, mai ales atunci când vizitatorii sunt de ordinul sutelor pe an. Am mai auzit despre evenimente organizate la munte, locuri în care o bere ajungea să coste chiar dublu decât în supermarket, însă aducerea sticlelor, depozitarea și servirea lor, plus organizarea întregului eveniment care uneori durează și două săptămâni pentru construcția de scenă, toalete, pregătirea unui loc de campare, organizarea bucătăriei, a oamenilor veniți în ajutor și hrănirea lor, apoi demontarea după festival a tuturor celor construite și curățarea locului cred că scuză foarte bine acel preț. Din acest motiv, oamenilor trebuie să le spui foarte clar ce se petrece.

Atât la țară, cât și la oraș, unii rezolvă problemele, alții „bat din picioare". Orice acțiune are o consecință! Cineva spunea că un om aflat în criză sau depresie pare că ar avea un milion de probleme. De fapt, zicea, problema e una singură. Cel mult sunt două probleme, cu alte cuvinte, sunt mai multe, doar că cele mai grave sunt una sau două. Disciplina și punerea problemelor pe hârtie, adică prioritizarea lor într-o formă sau alta ajută la rezolvare.

Problemele sunt parte din viață, nu fugi de ele, nu încerca să le eviți. Rezolvă-le! Vei întâmpina greutăți și vei crede că ai luat-o pe o cale greșită, dar crede-mă, aceea este calea pe care trebuie să mergi, dacă sufletul tău ți-o cere. Uneori, de multe ori, greutățile te fac să găsești soluții, să înveți, să crești. Nu te speria de ele, cu toții trecem prin greutăți și avem probleme de rezolvat.

Unii au venit să mă întrebe cum am făcut să mă mut la țară, cum îmi permit să trăiesc la țară. Aș putea să repet mereu ceea ce am mai scris și să povestesc multe despre acest subiect, dar cred că fiecare va găsi mai devreme sau mai târziu o cale a lui. Calea mea nu se potrivește tuturor și urmarea ei poate că nu va duce pe toată lumea în locul în care m-a adus pe mine. Ce pot spune însă este că ai nevoie de niște bani pentru început dacă vrei să cumperi o casă, dar ca să te muți în chirie sau chiar cu alții e destul de simplu. Fiecare caz din câte am cunoscut este unic, aşa că o rețetă pentru toți nu există.

Din ce trăiesc alții pe la țară

Ca să trăieşti la țară numai din ceea ce poți să produci în grădină, fără o altă sursă de venit, nu se prea poate, pentru că şi de s-ar putea, activitatea în sine ar deveni un loc de muncă care ți-ar umple viața și sunt sigur că nu doreşti ca să te muți la țară pentru a munci din zori și până-n noapte, în fiecare zi.

Vezi, țăranii cunosc deja meşteşugurile şi secretele pământului, dar nu se pricep la vânzări. Dacă nu ar avea pensii, s-ar descurca foarte greu, pentru că nici cu ele nu le este uşor. Și-atunci să vii tu, orăşean, fără terenuri întinse, fără animale mari, fără tractor și cunoştințe, îmi vine greu să cred că poți trăi din ceea ce poți produce. Există milionar în lire din dulcețuri, dar e caz excepțional.

În concluzie, în general oamenii mutați la țară rămân conectați într-un fel sau altul cu oraşul pentru o sursă de venit. O altă concluzie este aceea că depinde de cât e omul de ambițios și cât de mult chef de lucru are. Ca să produci legume din care să trăieşti ai nevoie de o grădină imensă.

Ca să trăieşti din brânză ai nevoie de sute de oi. Dacă produci dulceață, trebuie să vinzi mii de borcane. Să zicem că unul ar costa zece lei. Ca să ajungi la un „salariu" lunar de o mie cinci sute de lei (ceea ce e puțin, dar depinde de nivelul de trai pe care ți-l doreşti), trebuie să vinzi peste două mii cinci sute de borcane pe an (ca să cumperi și borcane goale, zahăr etc.).

Ce vinde lumea pe la țară, la munte? Desigur, contează cât de mult teren ai, cât de mult muncești și cum te pregătești. Se spune că Dumnezeu îți dă, dar nu-ți bagă în traistă. Eu încă descopăr copaci noi pe terenul meu de 12000mp.

De exemplu, adunând nuci, am descoperit pe rând, într-o zi încă un nuc și în altă zi încă unul. Credeam că sunt vreo șase-șapte, iar în final am descoperit că am unsprezece, câțiva fiind mai mici, dar deja roditori. Nucile sunt un bun vandabil, atât cunoștințelor, la kilogram, cât și cumpărătorilor ambulanți care trec cu mașinile pe drumurile satelor claxonând, dar și unor firme specializate.

Unii săteni vând mere și prune culese sau direct din pom, legume de grădină, animale și ciuperci din pădure tot cumpărătorilor ambulanți sau prin alte căi cunoscute de ei (târguri, internet, centre de colectare).

Cine are pădure exploatează și lemn, desigur, în limitele legii. Copacii se regenerează dacă tai numai ce se poate tăia în mod legal, iar sătenii mereu se gândesc să lase moștenire copiilor lor păduri sănătoase.

Din tot ceea ce vând unii, reușesc să se descurce, ajutați fiind și de pensiile bătrânilor lor. Dar toate acestea înseamnă multă muncă, pentru fiecare parte în sezonul aferent din primăvară și până toamna târziu. Iarna se bea pălincă și se joacă cărți la gura sobei. Numai dintr-un obiect ca sursă de venit, cum ar fi grădina, am constatat că nu se poate trăi la un nivel satisfăcător. E nevoie de venituri pe mai multe planuri sau acel unic domeniu să fie făcut la o scară mare, care necesită investiții serioase, energie din plin și dedicare totală.

Agricultura de nivel ridicat, fie că este vorba de cultivarea cartofilor, a ciupercilor sau a cerealelor, nu face subiectul acestei cărți, dar pot spune, din ceea ce cunosc, că prin începerea unor afaceri de acest gen la țară îți pui în cap mai mult decât un loc de muncă foarte solicitant, iar eu nu vreau să vorbesc aici despre câștiguri și învârtirea banilor pe această cale, ci din contră, despre a nu trăi pentru a-ți asigura o sursă de venit care să te hrănească până la moarte prin ceea ce nu dorești cu adevărat să faci.

Ideea este alta: scopul este fericirea, iar diversitatea se împacă bine cu ea, astfel că e bine să faci și altceva. Hrănește-ți trupul și sufletul pe toate căile. Educă-te și schimbă lumea. Fă ceva măreț nu doar prin muncă, ci și prin atitudine, gândire, schimbare. De asta ești aici! Altfel, prin orice ai face, vei supraviețui până la moarte și atât. La țară, dacă nu trăiești doar pentru ceea ce mănânci și pentru ceea ce bei, cu riscul de a părea „negospodar", va trebui să faci ceva mai mult. Altfel, vei deveni pion, sclav al propriei gospodării.

Mai poți să și delegi. Există prin orașe oameni care muncesc pentru chirie și mâncare, nerămânând cu bani în plus la final de lună. Unii dintre ei ar dori să vină la țară, într-un mediu curat și liniștit, ca să se ocupe de grădină și animale pentru chirie și mâncare, apoi să se bucure din plin de timpul liber. Dar ar fi bine să le oferi, după orele stabilite pentru munca în schimbul a ceea ce v-ați înțeles, o sursă de venit din ceva adăugat. În timp, îți pot deveni parteneri, dacă rezonați în ceea ce întreprindeți împreună.

Din câți oameni mutați la țară am cunoscut, unii își adaugă venituri din vânzarea unor plante medicinale și creme naturale, alții din meșteșuguri de tot felul sau din vânzarea la oraș a unor „coșuri cu legume" direct către clienți. Câțiva lucrează în sat sau comună (de exemplu ca profesor), mai mulți lucrează online de acasă, nu foarte mulți, dar destui trăiesc din turism, alții din artă, alții fac naveta la oraș etc.

Creșterile artificiale în planuri pe termen lung nu sunt de ajutor, dar micile afaceri crescute în mod natural, încet și sigur, te ajută să înveți foarte multe pe parcurs. Unii s-au mutat cu părinții lor „tineri pensionari" cu tot, în două case învecinate, alții, prieteni, s-au mutat mai mulți într-o casă sau două, astfel că împart cheltuielile, mâncarea, dar și treburile. În foarte multe sate este nevoie de meseriași, iar cei care sunt acolo, oameni buni la toate, nu fac față tuturor solicitărilor. Pentru cei care lucrează online, chiar dacă nu o fac cu normă întreagă sau pe salarii întregi, banii câștigați au o valoare mai mare la sat decât la oraș, astfel că se mulțumesc cu mai puțin, dedicând timpul liber rămas altor activități productive și plăcute.

A reda viață unor lucruri lăsate de alții să moară este o îndeletnicire forte înțeleaptă și lăudabilă, iar ea poate deveni o sursă de venit.

Unii au vândut un apartament în București, au cumpărat o garsonieră pe care au închiriat-o, iar cu restul de bani s-au mutat la țară și lucrează online, alții închiriază pe timp de vară camere sau parte din casa de la țară. Pentru asta ar fi bine să cumperi de la început o proprietate cu două corpuri de casă în aceeași curte sau una cu destule camere.

Pensiunile aduc venituri suficiente doar în zone turistice sau dacă au clienți de nișă. Cele care atrag clienți de nișă sunt concepute pentru a caza oameni care le trec pragul pentru activități specifice, cum ar fi workshopuri, călărie, gastronomie, sporturi, tabere de creație, activități dedicate copiilor etc.. Celelalte fie sunt amplasate în zone cu potențial turistic dedicat, fie sunt ele însele atracții turistice, datorită arhitecturii lor, poziționării sau vechimii clădirilor.

Oricum, cred că este importantă găsirea unei activități plăcute, cu ajutorul căreia să produci banii de care ai nevoie pentru un trai bun; altfel, dacă te concentrezi mereu pe a reduce cheltuielile și îți apare scandal în casă din simplul fapt că celalalt a uitat lumina aprinsă, nu te îndrepți spre armonie, ci mai degrabă vei considera că duci o viață grea și apăsătoare.

Am auzit că undeva, pe altă planetă, există și familii care trăiesc fără bani, dar eu nu am avut onoarea să-i cunosc, așa că nu pot spune mare lucru despre asta, doar că, probabil, viața le e aspră, iar treburile de pe lângă casă (dacă nu cumva trăiesc în peșteri), le ocupă tot timpul. Timpul nu putem să-l dăm înapoi, iar omenirea nu se va mai întoarce la ce a fost în urmă cu sute sau mii de ani. Odată ce ne-am obișnuit să facem câte un duș fierbinte, nu văd de ce am alege spălatul în lighean, iar o dată ce am învățat să ne folosim de curentul electric, nu știu de ce am dori să folosim lumânările. Probleme mari la nivel global vin din cheltuirea banilor pe lucruri inutile și producerea de foarte mult gunoi.

Imaginează-ți: prepari un ceai bun, pregătești miere și o felie de lămâie. Ai o cană preferată din care îți place să bei, colorată frumos și ușoară, dar plină cu ceai deja vechi și rece. Unde mai intră ceaiul cald, lămâia și mierea? Cana ești tu! Ești o cană frumoasă, dar plină. Cum să te umpli de bunătate, dacă ești plin de răutate? Cum să te umpli de lumină, dacă ești plin de întuneric? Cum să aduci liniște și calm în mintea ta, dacă ești plin de zgomot? Cum să vină la tine ceva mai bun, dacă nu este loc? Ia o pauză și eliberează-te de toate, alege din nou, acționează, apoi ai răbdare. Vor veni în viața ta, dacă le faci loc, multe pe care nu le vezi sau nu le înțelegi acum. Lasă deoparte ceea ce nu îți folosește sau nu îți aduce niciun bine și fă loc pentru ceea ce te inspiră. Lucrurile nu vin dacă nu au unde să vină.

Oportunități, oameni, locuri, lucruri... sunt acolo undeva și așteaptă să le faci loc.

Educația spre a face ceea ce iubești (de exemplu sculptură, terapii, turism) este și ea necesară.

Există tot felul de fonduri pentru renovarea caselor tradiționale, pentru tinerii mutați la țară, pentru întoarcerea tinerilor în țară, pentru zona agricolă etc. Le poți găsi, dacă dorești.

La țară se poate trăi din multe, dar depinde foarte tare de deschiderea pe care o ai și de construcția unei baze pentru restul vieții tale, iar asta se aplică oriunde te-ai afla.

Nu căuta să faci ceea ce se caută, ci ceea ce iubești!

Oricum, în cazul exploziei unei noi crize financiare mai mari decât toate cele care s-au văzut în ultimii zeci de ani, ceea ce este posibil, printr-o bună organizare la sat se poate supraviețui și viețui cu succes și fără stres.

A arăta altora că ai mai mult decât ei prin afișarea bogăției tale nu este o activitate benefică și utilă vieții, ci pierdere de vreme și energie. Dacă nu înțelegi asta, mai bine mai rămâi acolo unde ești.

9
Planuri de viitor

Un prieten spaniol, mutat în județul Bihor, îmi spunea că a cunoscut România încă de pe vremea când locuia în Spania, stând de vorbă cu românii pe care i-a întâlnit acolo, care plângeau după „acasă". Din plânsul și din dorurile lor, spune el, a prins dragoste pentru această țară și s-a mutat aici. El mai spune că România e săracă mental, nu fizic.

Cel mai mare plan de viitor pentru mine aici este acela de a face cunoscută pe toate căile lumea satului românesc și nu musai prin tradiții sau meșteșuguri, ci prin ceea ce există în mod real, natural, astăzi la țară, și e minunat, și totodată lumea aceasta în care trăiesc și eu, care nu mai este aceea de acum zeci de ani, ci una mult mai confortabilă. Cred că fiecare lecție importantă sau experiență de luat în seamă și adunată în bagajul meu de cunoștințe e necesar pentru rostul vieții mele să fie împărtășită lumii; ofer astfel și altora șansa de a cunoaște ceea ce poate că n-ar fi cunoscut niciodată, și anume, faptul că se poate trăi și altfel, în România și în lume.

Aud destul de des spunându-se despre bătrânii satelor: „Munca i-a ținut!", afirmație pe care o consider falsă. Cel puțin pot să văd ridurile și bătăturile unor oameni care zâmbesc uneori cu ochii triști, cocoșați și vizibil obosiți după o viață plină de greutăți. Pe cealaltă parte, mă uit la unele țări din Occident, ceva mai bogate, unde speranța de viață este mult peste cea a românilor, la cum arată bătrânii, sătui de concedii, supli, îngrijiți, îmbrăcați la modă, tunși și coafați, fără bătături, fără prea multe riduri, fără cocoașă, fără părul alb.

Chiar dacă între țări există mari diferențe, astăzi la sat se poate trăi ca la oraș, dar cu mișcare, cu mai mult aer curat, cu mai mult spațiu etc. Mișcarea și sportul te țin sănătos, dar munca epuizantă nu. Astfel, ca plan de viitor, chiar dacă despre unele știu că le voi face, despre asta știu că nu.

Nu voi munci până la epuizare și voi încuraja din toate puterile pe cei deschiși către mutarea la țară să caute activități frumoase și potrivite pentru a-și câștiga banii pentru nevoile vieții lor. Știu că există undeva chiar acum oameni care așteaptă să le plece șeful de locul de muncă sau să vină ora de plecare acasă. Știu ca există chiar acum undeva oameni care plâng și nu văd soluții pentru un trai mai frumos, prinși fiind în cușca minții lor, una care nu le dă dreptul să aleagă, ei crezând însă că aleg.

Artiștii, în general, reușesc să intre în curgerea naturală a vieții, ei lucrând cu sufletul. În jurul lor poți vedea dezordine, dar în mintea lor e pace. La ceilalți e dezordine în minte, dar ordine în casă. Apoi, artă la țară... sună fantastic de bine!

De multe ori, când ascult jazz mi se face dor de Londra, dar mă gândesc tot de atâtea ori de ce nu aș aduce jazz-ul la mine în sat? Acesta este un alt plan de viitor.

Doresc să organizez un fel de întâlniri cu prieteni și alți doritori, mulți deodată, ca să se cunoască și ei între ei, aici la munte. Vreau să realizez un program pentru prieteni și întâlniri diverse, chefuri, cu pauze și săptămâni de liniște. Uneori îmi amintesc de mine, de cât de prins eram în mica lume a mersului la serviciu, iar acum plănuiesc zilele libere a sute de cunoscuți, ba chiar ofer un exemplu de viață pentru mii de oameni. E minunat!

Îmi mai propun să deschid ochii unora cu privire la frumusețile vieții la țară și convingerea celor plecați în străinătate să se întoarcă acasă. Cea mai bună formă de convingere este propriul meu exemplu, desigur, și prin publicarea acestei cărți, dar mai există și alte moduri.

Trebuie să menționez faptul că eu nu pot garanta succesul nimănui la țară sau în țară, sau chiar afară, dar cel puțin încerc să arăt opțiunea aceasta.

Mai vreau să scot din mintea unora frica de sat, mai ales a celor care nu au trăit la sat. Puțini îndrăznesc să mai trăiască aproape de natură. A devenit atât de normal să trăim într-o lume artificială, încât naturalul chiar poate părea a fi un loc de nevieţuit în el.

„Adună duh de pace în sufetul tău și mii de inși se vor mântui în jurul tău.” Sf. Serafim de Sarov

Sunt conștient că munca aici nu se va termina niciodată, dar acum sunt încă pus pe construcții. Știu că este păcat să trăiești fără echilibru în mijlocul naturii și să nu te bucuri de ceea ce alții au parte doar duminica. Este păcat, într-un mediu curat și liniștit în mijlocul naturii, să nu te bucuri cu adevărat de somnul dulce de dimineață, de somnul sănătos de după-amiază și de seară, de mâncare curată, de a-i oferi trupului ceea ce el are nevoie. Încă mai am și eu de lucrat cu mintea mea.

Până când nu găsim calea către a trăi în echilibru, pace și voie bună, după vreme lungă în goana după funcții, bani și diplome, după vreme de viață la program mereu subordonați cuiva, nu cred că are rost să ne canalizăm energia pe a construi ferme, pe a repune pe picioare tradiții și meșteșuguri sau pe a salva ceva ce a murit de la sine. Începutul bun constă în resetarea vieții noastre, apoi lucrurile se vor așeza și se vor rezolva, iar soluțiile și răspunsurile vor veni în mod natural.

Nu știu, pentru noi sau pentru societate, cât de benefic este să ne întoarcem în timp, să ne reapucăm de agricultură cu sapa și de stat cu vacile pe dealuri, dar sunt sigur că e benefic pentru societate ca ea să conțină oameni rupți din vâltoarea orașelor, care să gândească și să privească din afară, să creeze și să aducă un suflu cu adevărat nou satului și poate chiar soluții pentru întreaga planetă. Atunci când ai mintea prinsă într-o activitate măruntă, sub nasul tău, nu mai vezi întreaga imagine a planetei, a societății.

În lumea în care trăim există multe valori false, mult sclipici, multă „imagine", de aceea ar fi bine să lucrăm mai mult la conștientizarea realității, la îmbunătățirea calității vieții noastre pe toate planurile și la creșterea calității relațiilor dintre noi și ceilalți. Altfel vom încuraja, inconștient și fără rost, jocuri de imagine, sclipici și fals.

Viața nu mi s-a dat ca să mă compar mereu cu ceilalți și ca să concurez, ci ca să fac ceva cu ea pentru mine, pentru sufletul meu, iar mai apoi, când voi fi pregătit, pentru ei.

Cât despre micile planuri pentru casă, în afară de transformarea șurii în locuință, vreau să construiesc un cuptor de pâine, un uscător de legume, un foișor în livadă și trepte de pământ și lemn, un baraj pe pârâiașul care brăzdează curtea, încă un solar pentru legume și multe altele.

Pe lângă toate acestea, tot ca plan de viitor, doresc să nu mă opresc din a investi în mine pe plan fizic, mental și spiritual, din a citi, din a învăța, din a descoperi și din a cunoaște oameni. Astfel voi putea deveni tot mai responsabil pentru acțiunile și gândurile mele, mai creativ, mai înțelept, mai deschis și mai bun.

Bătrânii cred despre ei că și-au încheiat rostul pe lume, din acest motiv unii chiar așteaptă să moară, bucurându-se de nepoți, de roadele pământului, uneori de un păhărel de alcool. Dar nu, nu e așa! Ei au încă foarte multe de oferit lumii, desigur, prin deschidere și cu ceva efort. Cunoștințele lor îi pot ajuta pe foarte mulți, chiar și turismul s-ar putea baza mai mult pe ei, iar acesta este un aspect care merită luat în seamă.

Cu cât faci mai mult pentru tine, cu atât faci mai puțin pentru ceilalți în mod direct, pentru că, evident, făcând mai mult pentru tine, asta dacă vorbim de acțiuni pozitive, crește nivelul din jurul tău, dar cu cât faci mai puține în general, cu cât te plictisești mai mult, cu atât mai mult timp îți rămâne pentru a te plânge sau a găsi tot felul de bube ale tale sau ale altora. Fă bine mai întâi pentru tine, apoi pentru ceilalți.

După ce îți termini treburile de pe lângă casă, cele importante, va rămâne timp și pentru treburi mai mari, care pot implica comunitatea. Dacă nu ai hrană, confort și mintea limpede, nu te poți concentra prea bine către creație și lucruri mari.

Îmi propun și să ajut oamenii de la țară (și ei mă ajută pe mine), nu neapărat în mod direct, ci prin a crea ceva care să-i ajute mai târziu. Uneori, ceea ce crezi tu că e de ajutor pentru ei poate fi o piedică. Asfaltul turnat pe o uliță, pentru tine, orășean, pare lucru bun, dar s-ar putea ca pe săteni să-i încurce iarna, un drum din piatră fiind mai sigur pentru mașini în condiții de iarnă.

Astfel că e cel mai bine să îi cunoști mai întâi, să trăiești alături de ei o vreme, apoi, după ce le înțelegi adevăratele nevoi, să îi ajuți așa cum vei putea.

Îmi îndrept atenția și către a găsi și a aduce oameni diverși în sat, dar aș vrea să fie hotărâți și puternici, pentru a putea întâmpina cu cât mai multă ușurință provocările de aici. Dezvoltarea satului e importantă, dar am mai întâi de gândit ca această dezvoltare pe care eu aș putea-o aduce cum și ce să nu strice.

La țară, ca peste tot de altfel, cred că este nevoie de disciplină, de țeluri și viziune, de învățare și dezvoltare. Fără acestea este simplu să cazi. Fie traiul la sat, fie la oraș, fie în pădure, tot într-un fel de sistem se încadrează, iar fără disciplină și reguli cred că nimic nu funcționează bine. Natura are și ea regulile ei.

Cred că indiferent de activitatea pe care o realizăm, fie că e o afacere, fie că e artă, fie că e creșterea copiilor, fie că e o fermă, fie că e, simplu spus, mutarea la țară, fie toate la un loc, cu toții avem nevoie să ne stabilim niște țeluri pe care să le avem mereu în minte ca să știm unde vrem să ajungem. E nevoie de disciplină, altfel e foarte ușor să ne lăsăm distrași de la țelurile importante. Nu trebuie să ne oprim din a ne dezvolta. Dacă ne mutăm la țară nu înseamnă că trebuie să ne oprim din autoeducare. Construirea unui viitor interesant nu s-a terminat și nu se va termina niciodată, fie în latura materială, fie în cea spirituală.

Eu simt că am venit la țară ca să scriu, așa că asta voi face pe mai departe ca activitate de bază.

Muncește și învață, ca să fii bun în ceea ce faci și fă tot ceea ce poți mai bun, acolo unde ești, cu ceea ce ai. Folosește timpul ce ți s-a dat! Nu fi un simplu spectator, nu găsi scuze, ci canalizează-ți toată energia spre a-ți crea viața mult visată!

10
Ce am învățat

Un prieten mă felicita pentru curajul de a mă muta la țară. După ce l-am invitat să-și ia familia și să mi se alăture, mi-a spus:

– Nu e așa de simplu. Conceptul de „eu" e complet înlocuit de „noi", iar datoria de tată și soț precede orice izbucnire egoistă pe care aș putea-o avea în acest sens!

După un moment de pauză, i-am răspuns:

– Depinde din ce punct de vedere privești lucrurile. Există comunități în multe țări care trăiesc o viață mai simplă decât trăiește familia ta acum. Există soluții de home-schooling, apoi mai contează dacă copiii sunt crescuți de părinți obosiți, dezechilibrați și nefericiți la oraș, sau plini de viață și fericiți în mijlocul naturii. Vorbesc de extreme ca să înțelegi mai ușor ce vreau să spun. Oricum, eu ziceam că se poate, nu că asta ar fi bine pentru voi. Fiecare știe ce e mai bine pentru el și familia lui, dar în unele cazuri s-a dovedit că acel egoism de care vorbești se arată fix prin traiul „normal", consumerism și sistemul în care copiii sunt ținuți rupți de natură și trăiesc printr-un program strict o viață calculată și rigidă, chiar nesănătoasă, plină de standarde, comparații, competiții și foarte previzibilă (școală, muncă, familie, concedii, iar muncă, pensie, moarte). N-aș vrea să fiu chiar atât de radical, dar încerc să îți deschid ochii către o altă lume.

Eu am crescut tot la țară, desculț pe uliță, ars de soare, scăldat în Mureș, înțepat de albine, mușcat de cal și câini, „belit” pe coate și genunchi, și cu toate acestea am ajuns să termin cu succes o școală în Londra.

Ce am învățat?

Am trăit în doi ani la țară cât aș fi trăit probabil în douăzeci dacă aș fi rămas în oraș.

În acest timp de când m-am mutat la țară, am învățat o grămadă de lucruri noi. Departe de agitația orașului, după doi ani de la părăsirea Londrei, am învățat să respect oamenii mai mult, dar și pe mine, am învățat să mănânc și să apreciez ceea ce plantez, am învățat să dorm odată cu venirea nopții, am mai învățat să ofer, să deschid ușa casei mele și să primesc prieteni mulți înăuntru. Am învățat sau am reînvățat lucruri care valorează mai mult decât banii!

Natura ne dă viață, dar noi ce dăm înapoi naturii? Ea cu ce beneficiază de pe urma noastră? Părinții fac copii, iar copiii au grijă mai târziu, într-un fel sau altul, de părinți. Noi avem grijă de natura care ne ține în viață în fiecare secundă sau o secătuim de tot ce are de oferit, apoi murim o dată cu ea? Ei bine, planeta va rămâne, natura se va regenera, dar noi, oamenii?

Am citit undeva că-n unele țări vest-europene există în total doar câteva zeci de plante sălbatice pe hectar de pășune, iar în Apuseni există sute, tot pe hectarul de pășune, dintre care câteva zeci bune sunt comestibile. Străinii din vest au înțeles importanța acestui belșug viu, faptul că hrana și natura sunt esențiale pentru un trai armonios și că a trăi în mijlocul unei zone atât de bogate nu numai că nu e o rușine, ci mai degrabă e o necesitate și o bucurie. România ne oferă de la izvoare, râuri și lacuri, până la păduri și munți.

Dar nu mulți dintre oamenii locului văd asta, ci se apleacă asupra sclipiciului de prin orașe. Am cunoscut deja mai mulți străini care au venit ca să trăiască în Ardeal, la țară, și sunt extraordinari, oameni care apreciază natura și au grijă de ea. Dar e mare păcat să nu aprecieze românii ceea ce au și să plece din țară. Aici, în Apuseni, cel puțin, e fantastic să trăiești.

Într-o dimineață, am plecat să duc două găleți cu prune peste drum, la bute, apoi m-am întors pe sus, pe „la părău", ca să văd ce mai era pe acolo, pe terenul meu. Apoi, mergând cu Nera, cățelușa cea mică, ca Hansel cu Gretel, am găsit o nucă, apoi altă nucă: Uite încă una! Stai, nu mai călca pe ele! Și uite așa, cu mic, cu mic, am strâns aproape o găleată de nuci. Am urcat în livadă, am dat de un vecin cu vacile, am stat puțin la povești, am mai găsit o nucă, apoi un măr, apoi câteva alune, înapoi printre pruni, am mai luat și câte-o prună, apoi pere, struguri, și-am venit sătul și cu vedrele' pline.

Mulți dintre cei de la oraș consideră că în afara sistemului știut de ei e haos, neant. Ei bine, nu e așa. Iar ne lovim de valori false! Din afară, în sistemul acela pare că e haos. Ca să recunoști anormalul, mai întâi trebuie să înțelegi și să cunoști normalul.

Am învățat să fac orice dintre toate câte se cereau de la mine. De la bebeluș plângăcios, am devenit un fel de mașinărie care execută comenzi: adu apă, curăță cartofi, taci, dormi, ascultă, termină școala, condu mașina, fă bani, condu oameni... dar, mi-am dat seama că pentru a trăi o viață frumoasă și pentru a mă bucura că trăiesc, trebuie sa fac ceea ce simt, ceea ce sufletul meu îmi cere; astfel, am devenit pentru a doua oară rege peste mine, cel care am fost, și peste micul meu regat.

Odată ce te-ai trezit și vezi „de sus" sistemul, matricea, nu te mai poti întoarce pe vechiul drum!

Cu cât îmi intră mai bine în cap lucrurile simple, cu atât mai mult tind să cred că toată lumea, de fapt, le știe, cum ar fi de exemplu faptul că suntem creați într-un fel în care noi să bem doar apă sau să dormim de când apune soarele și până când acesta răsare, ori să facem muncă fizică cu măsură, pentru că ne face bine și este necesară. Apoi, mă uit pe rețelele de socializare și îmi amintesc, văzând o pisică de apartament, iubită, dar care nu cunoaște viața, că oamenii nu știu toate acestea sau nu le aplică deloc, ignorându-le.

Poți termina o școala generală la sat, apoi să urmezi alte studii în oraș și să ajungi director de bancă sau poți termina școala generală în oraș, apoi să urmezi alte studii în oraș și să ajungi vânzător.

Ruperea de oraș nu e simplă. Au existat oameni care la scurtă vreme de la mutarea la țară au intrat în depresie, pentru că așteptările lor au fost altele decât s-a dovedit a fi realitatea. Nu toată lumea poate, vorba lui Petru.

Natura se răzbună pe cei care îi încalcă legile. Ea nu-i poate salva pe cei plini de otrăvurile produse de ei înșiși și nici n-ar avea de ce. Păcat că oamenii sunt ocupați cu tot felul de treburi, uitând de sensul vieții, de găsirea lui. Poate că viața e doar o pregătire pentru moarte, singurul lucru sigur care ni se va întâmpla tuturor.

Daca vibrația ta e joasă, radiezi negativitate. Dacă vibrația îți este înaltă, radiezi de frumusețe și iubire.

Auzeam anul trecut despre cum ieșeau oamenii în stradă și protestau contra/anti guvern, dar nu a funcționat și nu va funcționa. Se știe că impactul unei adunări în scop pozitiv este și el pozitiv. Eram și eu gata să iau „boata" cu care umblu prin pădure și să merg cu ea la București, pentru prima dată. Unii, văzându-mă cu ea, venit așa din munți, m-ar fi considerat periculos, chiar dacă eu aș fi adus „boata" în mod simbolic, ca să se vadă de unde veneam și de unde m-au pus pe drumuri cei „de sus". Alții ar fi văzut în mine un fel de dac, de erou. În realitate, aș fi mers degeaba. Sistemul e putred, tot, în toată lumea. Bogații fac legile, săracii le execută, toți prinși, cu voie sau fără voie, într-o singură horă.

Vezi ce se întâmplă în Marea Britanie în 2018, o țară cu autostrăzi, cu sistem de educație pus la punct, cu spitale dotate. Câți oameni de acolo se bucură cu adevărat de viață? La fel de mulți ca și în România. Restul au doar parte poate de mâncare mai gustoasă și haine mai scumpe. Fără un scop clar, fără un plan de nivel mai înalt, chiar dacă dăm jos politicienii de astăzi, vor veni alții care nu ne vor mulțumi. Noi putem să creăm celule bune, prin orașe, prin sate, prin munți, prin văi, ca niște mici focuri vii, care, pe cum vor străluci mai tare, vor limpezi, însenina și lumina tot mai mult lumea. Fiecare dintre noi poate însenina casa și viața lui proprie, în primul rând. În jurul acestor „focuri", prin puterea exemplului, se vor naște altele. Oamenii au nevoie de foarte puțin, dar au căzut pe panta abruptă a aparențelor și a consumerismului.

Apoi, dacă părăsim „casa" pentru că pare că ea nu oferă suficient, ne vom trezi peste o vreme că va fi ocupată de alții, care văd deja abundența de aici. Nu noi avem nevoi atât de multe pe cât credem, ci planeta întreagă are nevoie de noi echilibrați și fericiți. Chiar acum, când scriu, am doi englezi în curte, care își doresc să se mute în România. Nu au prea mulți bani, dar au atât cât poate aduna și un român în Anglia în câțiva ani. Până la urmă, de ce n-ar veni ei, dacă tot e loc, pentru că românii pleacă să cumpere case în Anglia.

Sunt sute de străini care caută case în România, iar în curând vor fi mii, așa cum sute de mii de români caută să plece sau au plecat deja în alte țări, doar că fiecare caută altceva și se bazează pe alte valori.

Există deja în România, mai mult pe la munte cunosc eu, români întorși din afară sau veniți din orașe, care au ales să ducă o viață departe de zgomot și poluare. Multă lume nu știe despre ei/noi, pentru că trăim în lumi diferite. Repet, se poate și e minunat!

Am învățat să văd mai mult decât ochii mei pot să vadă. Vezi și tu ce nevoi ai. Cu siguranță simți nevoia de a trăi în natură. Dar lumea de astăzi te vrea în metrou sau în trafic, spre muncă, la muncă. Așa te vor părinții, așa te vor șefii, așa te vrei și tu, dacă doar asta cunoști.

Am învățat că, indiferent că mă aflu în Londra, în Hunedoara sau la munte, sunt conectat cu tot ce este. În acest mic cătun mă aflu legat de lumea întreagă.

Unii oameni se simt vinovați și singuri pentru că se ghidează după valori false. Probabil că ei muncesc mult, beau și mănâncă peste măsură, din cauză că dacă și-ar oferi timp pentru meditație și conștientizare, ar înnebuni. Ei nu sunt mulțumiți de ei înșiși, își iau etaloane imaginare, concurează, dovedesc. Eu, care nu știam până acum cum și de ce să îmi ascult sufletul, aici pun lemne fix în focul lui. Mi-am dat voie să risc să greșesc trecând bariera, sărind peste parapeți.

Am învățat să las oamenii să fie ei înșiși. Pe la țară am trăit multe seri în jurul focului când cineva cânta la chitară, dar nu mereu cânta măcar pe aproape melodiile așa cum sunt cântate ele în original. Ceilalți se bucură și ei, și cântă fără să le pese. În alte părți, mai demult, am văzut și oameni care simțeau nevoia să corecteze, zicând omului care cânta că „nu așa e melodia”, fără să-și dea voie să se bucure de moment, ci fiind împinși de nevoia de a găsi nod în papură. Pentru ce?

Am învățat că la sat oamenii se văd unii pe alții ca ființe umane egale. Indiferent de meseria lor, indiferent de animalele pe care le cresc și numărul lor, indiferent de pregătire sau experiență, chiar dacă au relații apropiate sau îndepărtate, nimeni nu pleacă capul în fața altuia, în fața altei ființe umane.

Am învățat cât de mult drag pot să port pentru România și cât de mult înseamnă ea pentru mine. Plecat pentru atâția ani în Londra, căutam România în oameni, în cer, în ploaie, în roșii, în bere, la întâlniri cu alți români, dar n-am găsit-o acolo. Ea era aici, peste mări și țări, sub frunzele nucilor, sub zăpezi, sub soare, printre munți. Românii ca mine, care am fost acolo, plecați de acasă, sunt altfel decât cei de aici. Nu mai buni, nu mai răi, dar în încercarea lor de a se adapta vremurilor și locurilor din străinătate, se schimbă. Și eu m-am schimbat acolo, dar am revenit mai bun.

Am tot auzit despre energia naturii, a pădurii, râurilor, mărilor, munților, care elimină tot stresul. Am auzit despre vibrația pământului, de frecvență… sau indiferent ce-o fi ea, frate, plimbă-te o oră prin pădure și plimbă-te o oră printr-un supermarket, apoi vei înțelege diferența.

Unde mă aflu eu în corpul meu? În timp ce săpam o groapă pentru hidrofor, mă gândeam dacă iarba ar avea un fel de ochi și m-ar vedea, iarba... ultimul fir, sau primul de către mine, rămas netăiat, puțin mai în vale, dincolo de mii de fire ce-au fost verzi până ieri, acum culcate de coasă, la vreo cincizeci de metri de piciorul meu apăsat pe hârleț, și mă mai gândeam la un zilier care m-a ajutat cu ceva treabă prin curte, cu mâinile crăpate și bătătorite de muncă grea, unde e el în corpul lui? În creier? Creierul care îi asigură echilibrul, vederea, memoria, funcțiile fiziologice și somnul, îl găzduiește oare și pe el? Dacă creierul lui ar fi fost mai antrenat, dacă n-ar fi crescut într-o casă de copii din Petroșani, dacă ar fi învățat și ar fi fost educat cum se cuvine, în același corp ar fi fost altcineva, sau tot el?

Un prieten spunea în urmă cu câteva seri, la focul din gradină, că probabil suntem găzduiți de inimă, iar creierul e doar un organ de care ne folosim, la fel cum e și ficatul sau cum sunt ochii, chiar dacă el le pune pe toate în legătură. Dacă e așa, omul cu mâinile obosite, dacă e ca el să fie în inima lui, iar eu în inima mea, nu e el tot ca mine? Nu sunt eu ca el? Nu sunt eu el? Și chiar dacă am locui în creier… și dacă aș fi fost eu o albină pe care pot sau nu să o strivesc astăzi de sticla de care se lovește, căutându-și cu disperare drumul pierdut? Și dacă eu aș fi omul cu mâinile crăpate sau muntele, sau albina? Și dacă eu aș fi tu, cum să-ți văd eu mâinile crăpate și să nu-ți văd lumina? Cum să nu fiu eu lumină? Cum, știind asta, să mai fie război pe lume? Că trag în tine și mor eu!

Creierul, pe lângă cele o mie de alte treburi ale lui, sau câte or fi ele, unele cunoscute și altele necunoscute, are și treaba de a ne ține în siguranță, în limitele de care are cunoștință, atât în planul fizic, cât și în planul mental, și da, el își face treaba, iar atunci când credem că e leneș, chiar nu e deloc. Atât că nu e educat să asculte chemările sufletului. Noi acționăm cum ne face el să acționăm, pentru că judecă în mod logic. Problema celor care simt că trebuie să facă o schimbare și nu o fac e exact aceasta: așteptarea. Creierul le zice: „Stai aici! Chiar dacă e poluare, chiar dacă e gălăgie, chiar dacă e stres, chiar dacă simți ca nu aici e locul tău, măcar știm cum e și ne adaptăm. Cum am stat pană acum, așa stăm și de acum înainte. Dincolo nu știm cum e și trebuie să ne pregătim!"

Însă, până când nu ajungi în acel loc în care simți să mergi, nu poți cunoaște nevoile tale de acolo și soluțiile pentru problemele care vor apărea, astfel că pregătirea, oricât de intensă și conștiincios făcută ar fi, nu e suficientă și nu e posibilă în totalitate. Din acest motiv, unii oameni așteaptă la nesfârșit.

Niciodată nu voi mai fi omul care va asculta numai de minte sau numai suflet, ci voi fi omul care se va bucura de întâlnirea și dansul minții cu sufletul. Asta am învățat de la oameni care sunt uneori blamați pentru felul în care trăiesc și sunt arătați cu degetul, dar ei sunt cei care ascultă și de suflet și formează extrema celor pe care nu-i interesează averile, carierele, ci sufletul lor și al acelora din jurul lor, și am ajuns la ei, minune, culmea, exact la ei, exact acolo unde am căutat să fiu, pentru că de asta aveam nevoie ca să îmi pot echilibra balanța dintre minte și suflet.

Poate fi greu, dar provocările ne fac mai puternici și mai deștepți. Trăim toate anotimpurile, nu există doar fericire sau doar iarnă grea. Fericirea nu e când te lași dus de niște momente de distracție, atunci, gândirea se încețoșează și senzația e de fapt un fals. Fericirea e atunci când, conștient, prezent, ești mulțumit de ceea ce trăiești, în limpezime și claritate. Nimeni, în afară de tine, nu este dator să te facă fericit.

Vorbind cu mulți dintre cei care își caută locul prin lume, am învățat că unii fug la întâmplare din cauza imperfecțiunilor pe care ei cred că le au, dar dacă s-ar arăta lumii așa cum sunt ei de fapt, ar rezolva o mare problemă din capul lor.

Am mai învățat că întoarcerea la simplitate este un dar și că pierderea timpului este o adevărată dramă de care devenim conștienți, de cele mai multe ori, abia atunci când este prea târziu.

11
Mod de viață

Cum văd eu viața la țară?

Pentru că munca nu trebuie să devină o povară, viața la țară, printr-o atitudine potrivită, înțelepciune și acțiune, ar trebui să ofere, sau să o facem să ofere timp pentru meditație, liniște, deschidere pentru noi prieteni, spațiu, experiențe potrivite pentru autocunoaștere și bucurie. Mai pe scurt, viața la țară ar trebui să fie mediul propice pentru un trai frumos.

Nu vreau să promovez mutarea la țară ca fiind numai despre roșii și grădinărit, ci despre frumos și bine în general, datorită timpului liber, naturii și liniștii, astfel doritorii se pot strânge pentru a viețui în adevărata și marea creație, contribuind la păstrarea a ceea ce am găsit cu toții aici, atunci când am venit pe lume.

Această carte nu este despre construcții, tradiții, creșterea animalelor sau agricultură, ci despre găsirea drumului interior către acasă. Mulți se încruntă când văd că te muți la țară și nu faci lucrări care să păstreze tradițiile, dar mutatul la țară este despre a trăi frumos, iar a trăi frumos este despre bucuria de a trăi. Diversitatea oamenilor care se mută la țară este atât de mare, încât nu îmi fac griji pentru atâtea domenii care vor fi oricum acoperite. Oricum unii dintre cei care vor veni în lumea satului vor face agricultură sau vor crește animale, alții vor face restaurare sau vor reînvia tradiții, alții vor repara mașini sau vor fi șoferi, mulți dintre ei fiind ajutați să ia această decizie prin descoperirea celorlalți mutați deja.

M-am mutat la țară, sunt mândru de asta și voi rămâne aici atât cat voi simți să fac asta, iar acest fapt poate fi unul temporar. De acum nu voi mai putea spune „Asta voi face toată viața!", ci îmi voi asculta inima și o voi lăsa să mă plimbe prin viață. Pentru că îmi place libertatea, doresc să mă leg mai mult de oameni, mulți oameni, decât să mă leg de locuri. Astfel că nu știu pentru cât timp voi rămâne, dar știu că acum simt în adâncul sufletului să fiu și să rămân aici și că această mutare fost cea mai bună decizie din viața mea.

De ce e bine că mă aflu aici? În primul rând, e bine pentru că am mai mult timp liber și mai mult spațiu. Aici pot găsi mai ușor liniștea de a vorbi cu mine și de a mă cunoaște cât de mult posibil. Înainte, cu mulți ani în urmă, îmi amintesc cum, în mod inconștient, fugeam de a vorbi cu mine. Deschideam televizorul și mă pierdeam cu mintea acolo, ori la ce se întâmpla în alte părți, la ceva total opus de ceea ce însemnam eu. În alte momente mă antrenam în discuții, fie ele telefonice, fie față în față, prin care mă impuneam mereu sau cel puțin încercam să arăt că aveam dreptate, să contrazic cu ceva „mai inteligent", să creez mai mult subiect, dar fără să ascult prea mult. În general căutam să trăiesc în gălăgie: muzică, oameni, televizor, agitație, aglomerație. Toate acestea mă fereau de mine, de fapt. Acum știu ce contează cu adevărat, nu mai sunt dornic să contrazic, ci mai degrabă să învăț să ascult și să văd dincolo de cuvinte.

De ce e rău că mă aflu aici? După doi ani, încă n-am avut o secundă de regret sau un gând despre faptul că aș fi făcut o greșeală prin mutarea făcută. Totul este așa cum speram să fie, chiar mai bine decât mă așteptam, învățând din mers și adaptându-mă cu ușurință.

Practic, în urmă cu câțiva ani, peste zi trebuia să mă aflu la locul de muncă. Acum sunt liber, la țară, în mijlocul naturii, am o mașină, am o casă frumoasă cu teren foarte mare și o mulțime de prieteni. Desigur, viața mea aici depinde de niște bani pentru care în continuare trebuie să muncesc, dar mi-am dat seama că depind și de apă, de soare, de iarba verde și de alte lucruri. Poți spune: „Ei da, așa sigur că poti, dar nu ești liber!" Liber nu voi fi niciodată dacă gândesc așa, pentru că nici forța gravitațională nu mă lasă să zbor. Nu avem nevoie de o libertate de acest fel. Avem nevoie de timp liber, de liniște, de natură, de prieteni, pentru a ne putea descoperi și trăi visele. Cât despre muncit sau de făcut ceva, sigur că toți trebuie să facem ceva ca să ne câștigăm existența. Până și scrierea acestei cărți, care a durat aproape doi ani, tot muncă a fost, dar a fost făcută cu drag și bucurie, fără ceas deșteptător și fără șef.

Am întâlnit în drumul meu oameni foarte pasionați de activitățile pe care le desfășoară, de la culesul ciupercilor, la fierberea pălincii, grădinărit, reconstrucția de case tradiționale, păstrarea meșteșugurilor etc. Nu le putem face toți pe toate, însă putem să găsim ceea ce ne place și să facem ceea ce dorim, fără a face rău altora sau naturii. E nevoie de diversitate. Așa cum la oraș unul e polițist, altul profesor și altul avocat, așa și la sat unul e agricultor, altul primar, altul constructor și altul meșteșugar.

Mulți se mută la țară ca să dea cu sapa, pentru că asta știu despre sat, cum și cei care ies duminica în natură cred că iarba verde este pentru bere cu grătare și li se pare că fuga de oraș este benefică, dar pentru că ei vin aici și dintr-un sistem intră într-altul, după o vreme ajung să devină obosiți, nesatisfăcuți și realizează că au devenit sclavii propriei grădini și a casei, iar copiii lor, în multe dintre cazuri, vor visa să plece la oraș, cum a mai fost.

Când te muți și schimbi sistemul, găsește soluții pentru un trai liniștit, plin și divers, dar gândește-te și la viitor. Nu te obosi prea tare, ca să poți rămâne, iar copiii tăi vor putea merge liniștiți la școli prin orașe apropiate sau chiar la București, Berlin ori Londra. Ideea e să prindă și ei dragul de viață în natură, nu să fugă de munca grea.

A te muta la țară poate înseamnă să trăiești într-o casă tradițională, cu afumături în pod, pălincă în damigenele din beci, muzică populară la radio, mâncarea servită în oale și căni de lut, ceaune cu mălai, muncă în grădină, creșterea animalelor, umblat în cizme de gumă etc., dar la țară, ca și în occident, e loc și de profesori, pictori, polițiști, mecanici auto, IT-ști, croitori, primari, medici, muzicieni etc., în diversitatea vieților cărora este loc și de șampanie dimineața și de eleganță, rafinament și de lux, de case construite cu materiale noi, de fugă uneori la teatru în oraș, de studii înalte etc.

Este loc pentru toată lumea, chiar dacă un om cu mâinile crăpate de muncă, care închină un păhărel de pălincă, este, în general, atât de iubit ori apreciat, ca imagine de neam și țară. Astfel, la țară poți mânca cu eleganță, ori poți bea un pahar de whisky cu gheață, ori asculta muzică clasică. Nimeni nu te oprește.

Mutat la țară nu înseamnă transformat la țară, ci un fel de completare a ceea ce este, un suflu nou dăruit satului, evoluție, dar și întoarcere la simplitate. Foarte mulți dintre noi avem în comun ideea de frumos venit din viața simplă, în natură, la țară. Cu alte cuvinte, am venit aici pentru a trăi mai frumos și mai simplu, dar simplitatea și frumosul venit din simplitate nu ar trebui să excludă bunul gust, bunele maniere, traiul civilizat, rafinamentul, buna creștere, cultura, educația, aprecierea și respectul, învățarea și acceptarea.

Nu ar exista mare fără picăturile de apă aparent neînsemnate, dar puse la un loc, iar neamul acesta nu ar exista fără tradiții, fără sate, fără bătrâni, fără tineri, fără noi.

Dacă ești fericit acolo unde ești, rămâi acolo, dar dacă nu poți fi fericit acolo unde te afli, ce altceva contează pe lume fără asta, dacă nu faci ceea ce te cheamă și lași fericirea pe mai târziu, mereu? Fericirea e în tot și-n toate, dacă tu ești bine. Altfel, nu faci decât să fugi de conștiință supraviețuind, cu viteză către moarte: „Mai mâncăm ceva, mai vedem un film, mai citim un ziar sau o carte, mai muncim ceva, mai facem rost de niște bani?", și așa, încet, încet, supraviețuim până când, în cele din urmă, va veni și ultima noastră zi de viață. „Oare de unde are bani?", „Oare cu cine se culcă?", „Oare ce mai zice x?", „Oare cu ce să mă îmbrac?", „Oare ce zice lumea despre mine?"

„Oare când mi-a trecut viața?"

Unii cred că la țară te sălbăticești, dar nu o dată prin orașe am văzut o grămadă de sălbatici, așa că asta nu ține de loc.

Cine spune că la țară ești rupt de lume? Nu există să treacă lună să nu merg în oraș. Fie la o cafea cu prietenii, fie la teatru, fie la un concert, fie la un târg, fie la un film și printre ele îmi fac timp pentru cumpărături. Nu spune nimeni să fugi de oraș. Mergi în oraș, fă lucruri acolo, vizitează, implică-te, schimbă, fii activ, dar stai la sat. Ne-am obișnuit să muncim pentru mai târziu, iar pentru acum nu facem nimic. Mai târziu, mereu, vine un alt „acum".

Tot la sat, au fost seri lungi, în care am stat la birt sau la un foc în curte cu prieteni și vecini și-am vorbit cu toții până n-am mai putut despre toate cele, dar și despre Cioran și Noica, despre încălzirea globală, despre muzeele din Londra, despre viața din alte țări, despre artă și cărți, despre războaie și necesitatea „ținerii în palmă ca pe ou" a geniilor contemporane care pot gândi și găsi soluții pentru problemele prezentului și ale viitorului neclar și chiar sumbru către care pare că se îndreaptă omenirea.

Așadar, eu nu văd mutarea la țară ca pe o rupere de oraș, ci ca pe o soluție pentru a păstra vie legătura cu natura, pentru o viață mai echilibrată și sănătoasă, pentru mai mult timp liber, dar și cu voia de a lua oricând ceva bun de prin aglomerație, astfel viața la țară nu devine o slugăreală, ci distracție, trai bun, fericire. Artiștii, spuneam, sunt exemple de ființe libere. Fie că bat în tobă, fie că pictează, scriu sau cântă, fie că creează tot felul de lucruri interesante și evenimente sau că aduc idei altora, ei trăiesc cu adevărat. Pentru asta merită să te muți la țară și așa poți deveni liber!

S-ar putea să dezamăgesc pe ici-colo, dar eu nu am ținut să restaurez în mod tradițional casa în care trăiesc. Gândesc că astăzi viața bună la munte necesită izolații, iar de-aș merge pe principiul bio-eco, ar trebui să depun o grămadă de energie și să învăț o grămadă de lucruri pentru care acum nu am timp. Casa a rămas și va rămâne pe exterior așa cum a fost de zeci și zeci de ani, cu bârnele de lemn descoperite, dar vor fi tratate în viitor. În interior, însă, am folosit izolații, gresie și beton, din cauza experienței din prima iarnă, când nu puteam ține mâna pe pereții camerei de reci ce erau.

Consider că mutarea la țară nu înseamnă neapărat păstrarea caselor în regim de muzeu, pentru că ele oricum se vor degrada în timp şi nu vor putea fi păstrate o veşnicie, ci găsirea unui echilibru prin confort și frumusețe pentru un trai decent şi liniştit. Cred că tinerii care s-au mutat deja la țară nu trebuie să fie judecați ca fiind distrugători ai tradițiilor pentru că au folosit la repararea caselor cine știe ce materiale din magazine de construcții, ci ar fi bine să fie încurajați să trăiască mai aproape de natură, aşa cum pot şi aşa cum condițiile mediului înconjurător îi lasă, ei devenind un exemplu de încurajare pentru ceilalți care nu îndrăznesc să facă acest pas. Pentru că nu poți să te pui în locul celui peste care te apleci cu judecata-ți limitată de propriile-ți experiențe şi valori, nu poți cunoaşte desăvârşit. Călătorim cu toții prin viață, ne intersectăm uneori, apoi fiecare ne îndreptăm către locuri pe care le vedem în culori pe care nimeni altcineva nu le poate înțelege pe deplin.

Ți se întâmplă uneori să realizezi că trăiești ceea ce în trecut îți imaginai că ar fi posibil? Unii cred că viața la țară se desfăşoară aşa: că e munte, că e cabană, cu focul licărind prin geamul şemineului, cu ceaiul cald pe măsuța de lângă fotoliu, cu muzică de toamnă, aşteptând prieteni şi da, cam aşa e, dar asta m-a costat aici doi ani de muncă.

12
ÎNCHEIERE

Un vecin mutat și el aici în sat, tânăr, om cu facultate, văzând autobuzul cu copii venind de la școală, îmi zise făcându-și cruce:

– Doamne Dumnezeule! Nici nu știi, când văd copiii venind spre casă cu ghiozdanul în spinare, cât de mult mă bucur că nu mai trebuie să merg la școală, că am scăpat de ea!

Iar eu i-am răspuns:

– Doamne Dumnezeule! Când mă trezesc în zorii zilelor din timpul săptămânii și, privind departe pe geam, pornesc fierbătorul de apă și apoi caut printre ceaiuri și cafele fără să știu cât e ceasul, nici nu știi cât mă bucur că nu mai trebuie să plec la muncă!

Viața de la oraș m-a crescut pe mai multe planuri, dar nu și pe plan sufletesc, și astfel am devenit neîmplinit și nu doar atât. Din vina valorilor false după care mă ghidam, am renunțat la a crea cu emoție, la încercarea de a mă cunoaște pe mine și sensul meu pe lume. După ce, de-o vreme, am pus cap la cap ceea ce am construit în țară și afară, la oraș, cu ceea ce am găsit la munte, am închis cercul și mă simt cu adevărat împlinit.

Am învățat că pot face atât de multe. În copilărie, lucrurile mi se păreau complicate, greu de atins, fără capăt, prea mari pentru mine. Acum, dacă vreau să transform un grajd în casă de locuit sau să scriu o carte, nu mă mai întreb dacă e posibil, ci pur şi simplu mă apuc de treabă. Acum ştiu că pot, învăţ, rezolv şi descopăr o altă lume pe cum păşesc înainte. Nu mai lupt, nu mai concurez, ci trăiesc! Visam să mă mut la munte, visam la o viaţă boemă, lipsită de „ceas", visam să construiesc cabane, visam la grădină şi legume proaspete, visam la focul din şemineu, visam la a deveni scriitor, ...cumva să le fac pe toate acestea, dar totodată să fiu liber. Acum trăiesc toate acestea, iar ele se construiesc parcă de la sine.

M-au vizitat oameni din lumea întreagă: artişti, medici, politicieni, oameni de afaceri, investitori, avocaţi, ingineri, şefi de companii, într-o căsuţă mică de la munte. N-au venit ca să judece colţurile strâmbe ale camerelor, ci ca să vadă minunea: pe mine mutat aici.

Visul de a te muta la ţară poate deveni realitate doar dacă păşeşti pe acest drum. Nu mai căuta scuze pentru că nu-ţi decontează nimeni viaţa. Altfel, acel gând devine o pagină uitată pe unul dintre rafturile minţii tale, la care te temi să ajungi. Fiecare are drumul său. Ce este bun pentru tine nu vei afla de nicăieri din altă parte, decât din inima ta. Fă ceea ce simţi şi iubeşti! Lumea are nevoie de talentul şi energia ta, şi de ceea ce poţi să oferi mai bun. Dacă nu eşti fericit, nu poţi dărui prea mult.

Tristă viaţă cred că au cei ce şi-o irosesc corectând „imperfecţiuni" la tot pasul. Opreşte-te o clipă şi ascultă, priveşte! Vei întâmpina greutăţi şi poate vei crede că ai luat-o pe o cale greşită, dar crede-mă, aceasta este calea pe care trebuie să mergi dacă ea te cheamă. De cele mai multe ori, greutăţile te fac să găseşti soluţii, să înveţi, să creşti, să te trezeşti. Nu te speria de ele, rezolvă-le! Greutăţi vei întâmpina oricum, pe orice drum vei merge.

Te-ai gândit vreodată că poți să trăiești cu natura? Nu în ea, nu din ea, nu lângă ea, ci împreună cu ea. Înainte fugeam după bani, acum stau la foc sub cerul liber și îmi e bine!

Fii bucurie celorlalți, astfel oamenii vor rămâne mai frumoși în urma ta, după ce le vei fi atins viața. Pentru asta niciodată nu e prea târziu și e o simplă alegere.

Oamenii vor înțelege tot mai clar că nu au nevoie de mașină de lux, ci poate de o bicicletă, că nu au nevoie de vilă, ci de confort, că nu au nevoie de haine scumpe, ci de îmbrăcăminte, vor înțelege că multe rele au venit în viața lor prin promovarea și îmbrățișarea falselor valori, iar cele reale nu numai că sunt gratuite, dar chiar sunt adevărate daruri ale vieții: timp, familie, dragoste, libertate, pace, prietenie, bucuria de a trăi.

Poate că nu știi exact ce vrei, dar ar trebui să știi măcar ce nu mai vrei! Dacă nu poți să înțelegi întru totul ceea ce am trăit eu prin această mare schimbare, află că de multe ori nici eu n-am înțeles multe și nici până acum nu am reușit să înțeleg totul. Sigur că nici acum nu pricep lumea asta pe de-a întregul și nici toată însemnătatea a ceea ce au lăsat în urmă marile nume ale istoriei, dar țin minte că pe la vârsta de doisprezece ani am fost dus pentru prima dată la operă și, deși nu îmi era străină urechilor, chiar dacă atunci n-am priceput mare lucru, totuși, văzând atât de mulți oameni eleganți cum priveau și ascultau atenți și mirați, am înțeles că acolo era ceva. Am înțeles că acolo era ceva de înțeles! Asta a făcut diferența, apoi am încercat să descopăr acel ceva.

Prin această carte, te-am așezat înaintea marii lucrări a naturii, prin viața simplă a satului, ca să afli că „acolo”, aici, e ceva!

Poate că în drumul tău te tot lovești de garduri imaginare, construite de mintea ta și de societate, dar poarta către simplitate și frumusețe e larg deschisă!

Sper că o dată ajuns la finalul acestei cărți, ai ajuns la începutul propriei tale povești la țară. Ai încredere și curaj să trăiești viața care poate să te facă fericit. Umple-ți sufletul cu liniște, dragoste, relaxare, încredere. Nu ai habar cât de mult te caută, la rândul lor, oameni frumoși, lumina, dragostea, natura.

Ulițele satelor, pășunile, culmile munților, văile, pădurile, toate sunt aici pentru tine. Din mijlocul lor vei putea dărui mult mai mult lumii întregi, chiar prin lucruri și fapte cât de mici. Un bine făcut ție sau aproapelui tău este un bine făcut, indirect, întregii lumi.

De cele mai multe ori, faptele spun mai mult decât vorbele și chiar dacă aș mai povesti despre casa în care trăiesc acum, despre peisajele munților pe care mă plimb deseori, despre faptul că astăzi la țară poți avea parte de tot confortul pe care îl ai la oraș, te voi lăsa pe tine să ne descoperi și să descoperi ceea ce te așteaptă pe drumul pe care vei alege să pornești.

În dimineața asta, în timp ce luam micul dejun, gândurile îmi fugeau la cum să scriu încheierea acestei cărți, apoi mi-am luat câinii la o plimbare prin pădure, cumva ca să mă consult cu natura, iar pădurea mi-a șoptit să-ți spun că satul este un fel de casă părintească a tuturor celor care iubesc această țară. Am fost educați să devenim bogați, să câștigăm, să avem, dar după toți și toate am ajuns la concluzia că viața cea mai frumoasă și mai bogată este simplă, plină, reală, spirituală și practică, alături de oameni și de natură, cu timp și voie bună, iar satul meu este oricare sat, este satul din inima mea și inima ta, este de fapt ACASĂ.

Întorcându-mă din pădure, jucându-mă cu câinii pe cărarea ce coboară spre livada din spatele șurii, îmi spuneam că dacă ar fi să îți trimit un scurt mesaj prin care să îți transmit esența a tot ceea ce știu și tot ceea ce simt, printr-un porumbel călător, de peste timp, de aici, din munți, din ultima comună, din ultimul sat, din ultimul cătun, de pe ultimul drum, de la ultima casă de la marginea pădurii muntelui, ți-aș scrie doar atât:

Se întâmplă uneori, dar în zadar, să căutăm dincolo de noi și de ale noastre, peste mări și țări, ceea ce avem dintotdeauna acasă. O căsuță frumoasă din lemn, lavița din târnaț, cuptorul de pâine, căței și pisoi, izvoare și păduri, copilul care-ai fost și o mulțime de noi prieteni, milioane de stele și cerul, potecile și văile munților, undeva la țară...

...toate te așteaptă!

Banii nu trebuie să devină un scop, ci o unealtă, un element cu ajutorul căruia te vei putea elibera din lanțurile sistemului care te exploatează din momentul în care ți-ai reglat ceasul deșteptător pentru prima ta zi de muncă. Acest sistem, atunci când te prinde, te poate face să îți vinzi timpul, să renunți la plăceri și, în unele cazuri, să te îndepărtezi de drumul pe care îți dorești, de fapt, să călătorești prin viață. Mai mult, te face să pierzi din vedere alte posibilități, oarecum îți spală creierul de visuri și te setează pe o singură direcție. Majoritatea oamenilor acceptă acest sistem ca pe o moștenire primită de la părinți și adoptă credința care spune că acesta este singurul mod în care oamenii pot să trăiască. Cei mai mulți dintre ei vor rămâne fideli acestei credințe pentru toată viața, educându-și urmașii în același fel. Iar ceilalți, puțini și liberi, îi vor conduce!

Andy Hertz
Devino REGE,
sau rămâi PION
Te-ai născut ca să învingi, nu ca să îți plângi de milă!
• ACȚIUNE • AFACERI • DEZVOLTARE • EDUCAȚIE
• ÎNCREDERE • MOTIVARE

Viața, cel mai frumos cadou este o carte care se bazează pe întâmplări reale, idei și planuri bine gândite despre aspecte importante ale vieții. Toate povestirile dezvăluie experiențe care te pot ajuta să îți găsești propriul drum în viață, indiferent de statutul social, mediul în care trăiești sau norocul pe care crezi că îl ai sau nu. Aceasta este cartea sufletului meu, simplă și sinceră, cartea ce mi aș dori să o fi primit în dar cu mult timp în urmă...

Andy Hertz
Viaţa,
cel mai frumos cadou
Acţiune • Afaceri • Credinţă • Dezvoltare • Educaţie • Încredere
Motivare • Oameni • Pasiuni • Sănătate

În SENS, Andy Hertz ne invită într-o călătorie misterioasă și fascinantă, departe de lumea dezlănțuită. Într-o pădure din creierii munților, șapte necunoscuți se adună să descopere ceva minunat și inefabil, ceva ce niciunul dintre ei nu poate să găsească singur, ci numai împreună cu ceilalți. Scrisă într-un stil cinematografic, în care cititorul "vede", prin ochii lui Marco, fiecare scenă din jur, cartea e un argument puternic pentru întoarcerea la rădăcini, la simplu, la frumos, la o viață cu sens. O recomand cu căldură tuturor celor care simt chemarea naturii printre blocurile de beton ale civilizației moderne.

Clara L. Popa, Ph.D., Universitatea Rowan, S.U.A

SENS
ANDY HERTZ